D0718642

La fin de l'État de droit ?

Frédéric Bérard

La fin de l'État de droit?

essai

Préface d'Alexandre Trudeau

Postface de Vincent Marissal

Catalogage avant publication de Bibliothèque et Archives nationales du Québec et Bibliothèque et Archives Canada

Bérard, Frédéric, 1977-

La fin de l'état de droit?

Comprend des références bibliographiques.

ISBN 978-2-89261-832-7

1. Règle de droit – Canada. 2. Règle de droit – Québec (Province). I. Titre.

KE4238.B47 2014 340'.11 C2014-940167-1

Les Éditions XYZ bénéficient du soutien financier des institutions suivantes pour leurs activités d'édition :
- Conseil des arts du Canada ;
- Gouvernement du Canada par l'entremise du Fonds du livre du Canada (FLC) ;
- Société de développement des entreprises culturelles du Québec (SODEC) ;
- Gouvernement du Québec par l'entremise du programme de crédit d'impôt pour l'édition de livres.

Édition : Marie-Pierre Barathon
Conception typographique et montage : Édiscript enr.
Conception graphique de la couverture : René St-Amand
Illustration de la couverture : GrandeDuc, shutterstock.com
Photographie de l'auteur : Martine Doyon

Copyright © 2014, Les Éditions XYZ inc.

ISBN version imprimée : 978-2-89261-832-7
ISBN version numérique (PDF) : 978-2-89261-833-4
ISBN version numérique (ePub) : 978-2-89261-834-1

Dépôt légal : 1er trimestre 2014
Bibliothèque et Archives nationales du Québec
Bibliothèque et Archives Canada

Diffusion/distribution au Canada :
Distribution HMH
1815, avenue De Lorimier
Montréal (Québec) H2K 3W6
www.distributionhmh.com

Diffusion/distribution en Europe :
Librairie du Québec/DNM
30, rue Gay-Lussac
75005 Paris, FRANCE
www.librairieduquebec.fr

Imprimé au Canada

www.editionsxyz.com

À Ève,
libre et juste,
muse et raison d'être.

L'état de nature est l'état de rudesse,
de violence et d'injustice.

HEGEL.

Préface

L'État de droit n'est qu'une croyance. Ou encore une volonté de vivre dans une société libre d'injustices et de tyrannies. Un espoir qui nous mobilise pour le bien de nos familles et de nos communautés, et nous amène à respecter nos gouvernements ainsi que les règlements qu'ils établissent pour nous.

C'est un concept qui vise toute forme d'autorité publique et qui incarne la conviction de vivre dans une société rationnelle, organisée pour le bien commun des citoyens, la meilleure de toutes les alternatives possibles.

L'idée de l'État de droit est en même temps porteuse d'autres belles croyances: que nous sommes tous et chacun libres, égaux devant la loi et munis de droits inaliénables.

Dans notre croyance, nous nous sommes aussi dotés de chartes qui entérinent la portée du pouvoir de l'autorité sur nous, individus libres. Grâce à ces chartes, même les gouvernements démocratiques, majoritaires ou non, n'ont pas le droit d'empiéter sur certains droits fondamentaux.

Nous nous attendons aussi à ce que la loi et ses agents, les tribunaux, garantissent l'entente que nous, citoyens et individus libres, d'une part, et nos gouvernements, d'autre part, avons contractée ensemble.

Ces tribunaux ont le devoir de veiller sur le respect des lois de part et d'autre. Par leur transparence, leur indépendance du gouvernement, leur neutralité et leur accessibilité, ils nous permettent de croire que les lois sont mises en place par nos élus pour notre bien, et que les droits sont soupesés et respectés. Ce système de règlements et d'arbitres distincts maintient la paix chez nous.

Enfin, c'est un système de croyances que nous sommes fiers de soutenir. À nos yeux, c'est ce qui fait que notre société surpasse les autres. Parce que ce ne sont ni notre raffinement manufacturier, ni même nos prouesses scientifiques ou notre influence artistique, ni notre richesse géographique ou matérielle, et certainement pas notre importance démographique ou militaire qui peuvent nous donner l'impression de vivre dans une société supérieure aux autres, mais bien l'assurance que, dans nos institutions et parmi nos citoyens, règne un dévouement rigoureux à l'État de droit, et ceci, malgré la pluralité ethnique, linguistique et religieuse qui existe chez nous.

Dans cet ouvrage sur la fin de l'État de droit, Frédéric Bérard traite de l'effritement d'un système de croyances. Ces systèmes ne s'effritent pas d'un seul coup. Le blâme n'est pas facile à attribuer. C'est plutôt un effondrement graduel et collectif d'un ensemble de comportements individuels et institutionnels, tous guidés par une foi commune.

Sans foi ni discipline, l'État de droit est moribond. D'autres principes s'affirment dans nos actes, des plus égoïstes et faciles. Les gouvernements cessent eux aussi de s'imposer une rigueur et cherchent des façons plus commodes pour exercer ou préserver leur pouvoir. Pire encore, nous, les citoyens, finissons par nous désintéresser de la politique et devenons plus détachés de l'exercice démocratique par lequel nous confions de l'autorité à nos institutions. La tyrannie et l'anarchie nous guettent alors. Le pouvoir brut est en ascension au détriment de la loi. L'argent surclasse les principes. L'émotion triomphe sur la raison.

La fin de l'État de droit s'illustre donc par une série longue et parfois subtile de dérapages jusqu'au point où la dérive n'est plus l'exception mais la norme. Chaque chapitre du présent ouvrage décrit une instance de ce déraillement. Vus un à un, les divers cas sont inquiétants. Vus dans leur ensemble, ils décrivent une société qui devient progressivement moins civilisée.

Vous allez lire les réflexions d'un juriste indigné. À la défense de l'État de droit, preuves à l'appui et livres de lois à la main, Me Bérard accuse les gouvernements de faire fi des tribunaux et de la primauté du droit dont ils tirent autorité. Il accuse les médias qui devraient dénoncer cette tendance de façon ferme et répétée, mais qui au contraire alimentent cette érosion dont ils tirent profit.

Finalement, il nous accuse de complaisance, nous les citoyens, bénéficiaires de l'État de droit. Si nous ne connaissons pas nos droits, si nous ne comprenons pas les fondements de la loi et de la bonne foi qui la soutient, quand nous en sommes rendus à faire la distinction entre la justice pour nous et la justice pour les autres, il est clair que le système est en train de perdre ses actionnaires, ses piliers.

Les chapitres qui suivent nous permettront de passer en revue ce qui se passe ici avec l'État de droit, nous permettront de repenser à certains événements dont plusieurs ont fait les manchettes ces dernières années. Ils nous paraissent lointains, banals même. Mais l'auteur tient à les démasquer de leur apparence anodine. C'est grave, dit-il. Des choses précieuses sont en péril. Qui rendent possible le monde que nous souhaitons tous. Des choses qui ont pris du temps à bâtir et qui exigent de la vigilance. Nos libertés. Nos lois. Notre paix.

ALEXANDRE TRUDEAU

INTRODUCTION

Le titre de cet essai peut étonner, j'en conviens, et d'ailleurs, qu'est-ce que l'État de droit ? Ce concept, dont la définition peut évidemment varier, a été popularisé ainsi par le juriste autrichien Kelsen : « État dans lequel les normes juridiques sont hiérarchisées de telle sorte que sa puissance s'en trouve limitée. » Plus précisément, l'État de droit vise à encadrer et limiter, à l'aide d'un ensemble de normes juridiques, le pouvoir de l'État. La puissance publique, soit celle de l'État et de ses divers organes, est ainsi assujettie au droit.

Par conséquent, l'État de droit s'oppose à ce que règne le bon plaisir du prince, soit l'arbitraire pur. Les actions du prince doivent suivre les règles préétablies par le contrat social, sous peine d'invalidation. L'exercice de la puissance publique, en d'autres termes, prend sa source à même le droit, tout en étant limité et encadré par celui-ci. La violation des règles en question constituerait, ni plus ni moins, une tricherie, un bris du lien de confiance liant l'État et ses citoyens.

Bien beau, tout ça, mais qu'en est-il du Canada ? Ne vit-on pas sous un régime reconnu pour ses assises démocratiques, sa stabilité constitutionnelle, ses acquis en matière de libertés civiles ? Pas de doute là-dessus. L'État de droit existe bel et bien, et ce, tant à Québec qu'à Ottawa.

Cela dit, il paraît que l'oisiveté est la mère de tous les vices. On peut paraphraser l'adage sur le plan de la sécurité juridique, de l'ordre démocratique : l'indifférence est la mère de tous les débordements. À l'instar de la valeur d'un politicien ou d'un avocat qui s'évalue en fonction de son plus récent bilan ou de son dernier mandat, la valeur réelle de l'État de droit se mesure à l'aune du respect qu'on lui témoigne.

Or, les accrocs à ce concept, pourtant fondamental, semblent devenir monnaie courante, dans le confort et l'indifférence, pour paraphraser Denys Arcand. Remarquez que je ne prétends pas que l'État de droit soit définitivement en péril chez nous. J'attire seulement l'attention sur la multitude et l'importance des violations récentes qui ont de quoi surprendre, cette impression étant renforcée par l'apparente indifférence générale, indifférence parfois même assumée.

Maintes illustrations de ces accros, malheureusement trop nombreuses et remontant seulement aux trois dernières années, abondent dans les pages qui suivent. Je les regroupe sous trois thèmes principaux.

Violations des droits et libertés garantis par les chartes québécoise et canadienne

Au Québec, nous avons, entre autres, une tentative d'instaurer une citoyenneté à géométrie variable, la loi anti-manifestations consécutive au printemps érable, les injonctions durant la crise étudiante. Pour sa part, Ottawa nous fournit la triste histoire d'Omar Khadr, dont les droits à la liberté et à la sécurité ont été violés, et ce, de manière récurrente. D'autres accros au niveau fédéral comprennent une justification de la torture et une protection des réfugiés devenue autant arbitraire qu'illusoire.

Le populisme et les tribunaux médiatiques

Sous ce thème, je classe la Commission Charbonneau qui nous ramène à l'époque du Far West, ne manquent que le goudron et les plumes. Les référendums d'initiative populaire et les élections à date fixe flirtent eux aussi avec ce populisme si néfaste à l'État de droit. Tout comme l'auto-pendaison des détenus, suggérée par un sénateur représentant le ministre de la Justice, ainsi que le *Projet de loi sur le drapeau national du Canada* jadis déposé par le ministre du Patrimoine.

Séparation des pouvoirs, primauté du droit et respect de la Constitution

Le cas du maire de Québec, Régis Labaume, peut sembler anecdotique, mais ses propos affirment la « souveraineté du gouvernement » qui le dispenserait d'opérer uniquement dans le cadre constitutionnel. Au fédéral, les entorses au principe de la séparation des pouvoirs et au respect dû à la Constitution se multiplient sous le gouvernement Harper. Songeons seulement au gâchis concernant le protocole de Kyoto, à l'abolition du registre des armes à feu, au contournement des règles d'amendement applicables en matière constitutionnelle, au détournement graduel et hypocrite du système de santé public et universel canadien. Il sera enfin question, en conclusion, d'une illustration de tout ce qui précède : la Charte des valeurs québécoises.

La fin de l'État de droit, donc ? Non, pas complètement... Pas encore, du moins. Sauf que toutes les illustrations qui suivent témoignent d'une érosion (légère ou plus grave, c'est selon) du principe. Certains y verront pourtant une bonne nouvelle, applaudissant le retour du balancier vers une « plus grande » démocratie, une souveraineté parlementaire accrue dénuée d'avocasseries inutilement techniques et techniquement inutiles. Il s'agit, à mon sens, d'une grave erreur.

Peut-on trouver dans le monde un seul État véritablement démocratique qui ne soit pas fondé sur la primauté du droit ? Non. Car une saine démocratie va de pair avec l'État de droit. Celui-ci, à l'instar de la vie démocratique, se bâtit, évolue et prospère par le respect des institutions, de la séparation des pouvoirs, et des paramètres entourant l'exercice de la puissance publique. Le respect d'une décision ou d'une ordonnance de la Cour n'est pas optionnel. L'application des dispositions ou principes constitutionnels ne peut s'exercer à géométrie variable. L'État de droit constitue l'ensemble des règles du jeu auxquelles doivent se plier, à juste titre, tous les citoyens et les politiciens. Faire fi de cet ensemble de règles équivaut, directement ou indirectement, à une tricherie. Et en cette ère où les tricheurs font justement la une des journaux, il est quand même ironique que toute mesure politicienne violant les paramètres établis par le contrat social ne s'y retrouve que de façon très discrète, et encore.

On dit que nous avons les gouvernements que nous méritons. C'est aussi le cas pour la démocratie et l'État de droit. Leur valeur et leur pérennité seront tributaires de la vigilance témoignée à leur endroit.

Partie I

Violations des droits et libertés

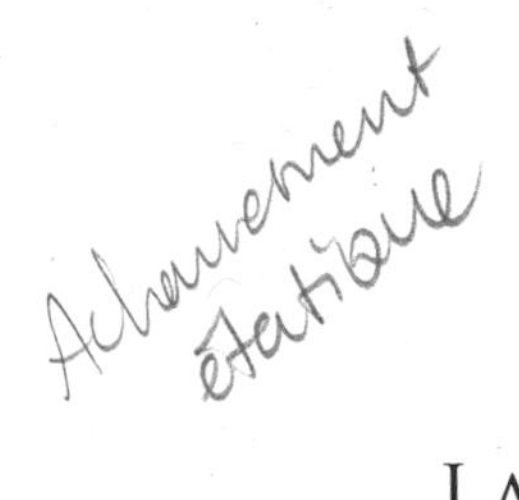

La triste histoire d'Omar Khadr

Arrêté en 2002 par l'armée américaine en Afghanistan, Omar Khadr, alors âgé de 15 ans, est cette année-là le plus jeune détenu de la prison militaire de Guantánamo. Les autorités américaines le soupçonnent de l'assassinat d'un de leurs soldats, de complot, d'espionnage et de soutien matériel à une organisation terroriste.

Depuis son incarcération, on ne lui a jamais permis de visites, sauf celles, rarissimes, de ses avocats canadiens. Blessé à un œil lors du combat fatidique, on lui refuse les soins nécessaires. Rien à comparer aux épisodes, fréquents, de mauvais traitements et de torture. En 2003, il reçoit la visite d'agents du Service canadien du renseignement de sécurité (SCRS), mais les autorités américaines ont bien préparé le détenu à ces rencontres : sévère privation de sommeil pendant les semaines qui précèdent ces interrogatoires.

Le Secrétariat américain de la Défense prétend par la suite que Khadr a finalement reconnu être un terroriste. Trois ans après son arrestation, on dépose donc enfin les accusations. Mais comment les autorités américaines ont-elles obtenu cet aveu ? Par des interrogatoires illégaux menés par le SCRS. Oui, le Service canadien du renseignement de sécurité lui-même. Joli.

En 2008, la Cour suprême du Canada ordonne au gouvernement fédéral de remettre aux avocats de Khadr la documentation sur les interrogatoires dont il a fait l'objet, notamment les vidéos de ceux-ci. Dès lors, on apprend que les agents du SCRS connaissaient les mauvais traitements subis par Khadr ; ils savaient que ce dernier ne pouvait d'aucune façon répondre librement aux questions posées ; que les aveux recueillis étaient, par voie de conséquence, systématiquement viciés.

Lorsque les documents, et surtout la vidéo, sont rendus publics, les manifestations populaires se succèdent afin de réclamer le rapatriement immédiat du jeune Khadr. Les partis politiques emboîtent le pas, parfois timidement, à ce mouvement populaire. Le Parti libéral, par exemple, peine à gérer un conflit d'intérêts évident : il était lui-même au pouvoir au moment de l'incarcération du Canadien. Difficile de crier maintenant à l'injustice. Passons.

Insensible aux pressions internes et internationales, le gouvernement Harper se vautre dans l'immobilisme le plus complet. Laissons la justice américaine faire son œuvre, plaide-t-il. Au même moment, Obama décrète la fermeture prochaine de Guantánamo. Contrairement à ses homologues d'autres pays dans la même situation, Harper refuse de rapatrier son ressortissant, et ce, même si les Américains n'en veulent plus. Douce ironie.

En 2009, la Cour fédérale conclut que le gouvernement viole la Charte canadienne des droits et libertés et lui ordonne de réclamer le rapatriement d'Omar Khadr. Le gouvernement porte alors la cause en appel. Mal lui en prend, car la Cour d'appel fédérale confirme la décision de première instance. Opiniâtre, le gouvernement demande maintenant à la Cour suprême de renverser ces décisions. La raison ? L'incarcération et le rapatriement de Khadr, le cas échéant, relèveraient du politique et non du judiciaire. Raisonnement amusant. Comme si la violation de droits et libertés prévus par la Constitution tenait de la discrétion de l'exécutif. Pendant ce temps, Khadr croupit toujours dans sa cellule pourrie, en attente d'une conclusion à ces arguties juridiques alambiquées et interminables.

La Cour suprême rend finalement sa décision en 2010. Elle confirme partiellement les décisions de première instance, notamment que le fédéral a contribué à la détention continue de Khadr et, par conséquent, porté atteinte aux droits à la liberté et à la sécurité de sa personne prévus par l'article 7 de la Charte des droits et libertés. Comme l'indique la Cour : interroger un adolescent détenu pour lui soutirer des déclarations suite à des accusations criminelles sérieuses, sans qu'il ait pu consulter un avocat, et tout en sachant qu'il a été privé de sommeil, et que les fruits de ces interrogatoires seront communiqués aux procureurs américains, contrevient aux normes canadiennes les plus élémentaires sur les traitements à accorder aux suspects.

Victoire en demi-teinte cependant pour Khadr. Malgré ce qui précède, la Cour refuse d'ordonner le rapatriement, invoquant le concept de séparation des pouvoirs et, plus précisément, les impacts d'une telle décision sur la diplomatie canadienne. On demande plutôt au gouvernement fédéral de prendre les mesures nécessaires, incluant le rapatriement, afin d'assurer la réparation des injustices commises.

Le gouvernement Harper envoie alors une simple note aux autorités américaines demandant de ne pas utiliser les informations leur ayant été fournies par le SCRS.

Furieux de cette prétendue solution qui, ultimement, ne changera rien à son sort, Khadr intente alors un nouveau recours devant la Cour fédérale, laquelle conclut au ridicule de la réponse du gouvernement au jugement précédent, et lui impose une formule réparatrice adéquate, suggérant implicitement le rapatriement pur et simple de son ressortissant.

Sans surprise, le gouvernement porte cette décision en appel. Heureusement pour lui, le juge en chef de sa Cour d'appel est un ancien ministre conservateur nommé par… les conservateurs. L'honorable Pierre Blais renverse ainsi la décision antérieure ; on oublie le rapatriement. Exaspéré, et on le serait à moins, Khadr conclut l'entente suivante : emprisonnement pour huit ans, et demande de transfert possible au Canada après un an.

Si on exclut ici le refus de Khadr de poursuivre la mascarade juridico-militaire de Guantánamo, où il devait être représenté par un militaire américain, jugé par un jury composé exclusivement de militaires américains, au cours d'une audience présidée par un juge militaire américain, jamais le ressortissant canadien n'aura eu la possibilité de subir un réel procès. Après pratiquement dix ans de violation de ses droits les plus fondamentaux.

Le gouvernement américain aurait formellement demandé au Canada, en avril 2012, de rapatrier Khadr, ce qui fut enfin fait le 29 septembre. Les autorités canadiennes l'ont immédiatement placé dans une prison à sécurité maximale où il devra purger le reste de sa peine pour crimes de guerre.

Khadr est le dernier ressortissant d'un pays occidental à avoir été transféré hors de Guantánamo.

Le 14 mars 2013, La Presse Canadienne rapportait que le service correctionnel du Canada refusait aux journalistes toute entrevue avec Khadr, arguant qu'elles étaient susceptibles d'interférer avec le plan correctionnel du détenu en plus de créer un risque au niveau de la sécurité. Le 28 mai, Khadr était transféré dans une autre prison canadienne à sécurité maximale, le Edmonton Institution in Edmonton, en Alberta.

En août 2013, l'avocat Dennis Edney soumettait une requête alléguant qu'en vertu de la *Loi sur le transfèrement international des délinquants*, il était illégal de détenir Khadr dans un pénitencier pour adultes dans la mesure où les crimes pour lesquels il avait enregistré un plaidoyer de culpabilité avaient été commis alors qu'il était mineur. Stephen Blaney, le ministre fédéral de la Sécurité publique, répliqua qu'en raison des crimes très sérieux que Khadr aurait commis (dont un meurtre), le gouvernement du Canada allait défendre avec vigueur toutes les tentatives d'allégement de sa peine.

Terroriste, Khadr ? Aucune idée. Mais à ce stade, cela importe peu ou pas du tout. Les vraies questions : souhaite-t-on un État de droit par intermittence ? Veut-on d'une Charte des droits et libertés à géométrie variable ? Le simple fait d'être accusé de crimes graves permet-il dorénavant d'être privé de procès ? Le politique avant le juridique ? L'acharnement étatique ? Le marchandage de la présomption d'innocence au profit de l'hypocrisie diplomatique ? Le déni de justice par entêtement idéologique ? Voilà les réels enjeux de ce triste film dans lequel le personnage principal est confiné, bien malgré lui, au rôle du pauvre cobaye de la remise en cause de principes bien établis.

Une citoyenneté québécoise à géométrie variable

Tourbillon électoral aidant, certaines propositions des partis politiques en arrivent à quasiment passer inaperçues. Normal, bien sûr. Reste toutefois que celles-ci font ensuite partie du programme politique du parti au pouvoir, malgré le peu d'attention reçue. Le programme du Parti québécois, élu en septembre 2012, n'a malheureusement pas échappé à cette règle.

Promise lors de la dernière campagne, une nouvelle marotte identitaire péquiste s'ajoute aux autres mesures visant le renforcement de la loi 101. Ce genre d'annonce présente toujours un potentiel de dangerosité à degrés variables et disons qu'il y a là souvent matière à insécuriser le plus confiant des apôtres de l'État de droit. Et cette fois-ci, il s'agit d'un projet bourré d'explosifs. Pourquoi ? Parce que le concept est aussi simple que simpliste : priver du statut de citoyen québécois quiconque ne jouirait pas d'une connaissance suffisante du français.

Concrètement, du moins si on en croit la première mouture du projet, il sera donc interdit à cet individu : 1) d'être candidat aux élections québécoises, municipales et scolaires ; 2) de présenter une pétition à l'Assemblée nationale ; 3) de financer un parti politique. On nous précise ensuite que la mesure s'appliquerait uniquement aux néo-Québécois. À suivre…

Présentée initialement en 2007 par le projet de loi 195 soumis par la députée Pauline Marois, l'idée avait depuis été mise de côté par le Parti québécois, faute d'appuis populaires. Existait-il d'autres mesures similaires à travers le monde ? Bien sûr, avait répondu Jean-François Lisée, concepteur de l'idée en question et aujourd'hui ministre des Relations avec les… anglophones. Et où donc ces mesures sont-elles déjà en place, monsieur Lisée ? Dans un archipel finlandais, de rétorquer celui-ci. Vous m'en direz tant…

Qu'est-ce qui justifiait la réapparition de cette mesure sentant le fond de tonne identitaire ? Couper l'herbe sous le pied d'Option nationale ou de Québec solidaire ? Pas sûr. Aussi nationalistes soient-ils (surtout ON), ils n'ont jamais osé tripoter aussi bassement la fibre nationaliste à des fins électoralistes.

Alors quoi ? Une invasion de députés unilingues anglophones à l'Assemblée nationale ? Une épidémie de conseillers scolaires anglos au sein de commissions scolaires anglos ? Une mitraille de pétitions signées par de caricaturales grosses-madames-de-chez-Eaton-qui-parlent-toujours-pas-français ?

Au-delà des considérations stratégiques, certaines questions demeurent, voire assaillent.

Existe-t-il réellement au Parti québécois un juriste croyant sérieusement que ces dispositions auraient la moindre chance de survie au test de la Charte canadienne ? Peut-on prétendre que brimer les droits civiques en fonction de considérations linguistiques ne va pas directement à l'encontre du droit à l'égalité prévu par l'article 15, ou encore des droits démocratiques protégés par l'article 3, lequel prévoit que « Tout citoyen canadien a le droit de vote et est éligible aux élections législatives fédérales ou provinciales » ? Et en ce qui concerne la Charte québécoise, même combat. Non seulement celle-ci reprend l'essence des dispositions précitées, mais elle ajoute à son article 21 : « Toute personne a droit d'adresser des pétitions à l'Assemblée nationale pour le redressement de griefs. » Notons bien l'usage du terme « personne ». Dans le sens d'humain, je présume.

Qui peut croire que ces violations auraient des chances d'être rachetées par l'article premier de la Charte canadienne, ou son équivalent prévu à la Charte québécoise (article 9.1), lequel permet qu'un accroc aux libertés individuelles puisse être justifié dans le cadre d'une société libre et démocratique ? Qui peut prétendre à l'atteinte minimale ? À l'objectif réel et urgent ? Au lien rationnel ? Pas moi. Rappelons que dans tout État de droit, violer des préceptes fondamentaux comme les droits civiques

n'est pas une mince affaire. Justifier la violation de droits démocratiques dans le cadre d'une société libre et démocratique ? Bonne chance.

Quelle serait exactement une connaissance « suffisante » du français ? Qui l'évaluerait ? Le gouvernement se doterait-il d'une escouade linguistique en charge de veiller sur l'intégrité francophile de quiconque souhaiterait participer à la vie démocratique ?

Pourrait-on, dans ce cas, faire également passer le test aux francophones dits de souche ? Je serais curieux de voir les résultats, mais devrai attendre, le projet ayant été mis sur la glace faute d'appuis de l'Opposition. Pour l'instant.

CRISE ÉTUDIANTE ET LOI ANTI-MANIFESTATION

On savait que nos dirigeants en avaient marre des manifestations étudiantes et de la casse qui vient parfois avec. Et qu'ils n'avaient rien à cirer des revendications des porte-parole du mouvement. Facile aussi de saisir que le gouvernement Charest ne reculerait pas sur l'enjeu principal de la hausse des droits de scolarité, tout comme il pouvait craindre la grogne populaire face à son parti lors de la prochaine élection générale, incluant les deux partielles en cours à ce moment-là. Ce qu'on ignorait, toutefois, c'est jusqu'à quel point ce gouvernement, épuisé et hargneux, serait prêt à adopter une ligne dure.

La loi 12 (aboutissement du projet de loi 78) nous a apporté la réponse en mai 2012. Un mot pour la décrire? Ouf! Non pas dans le sens du soulagement, mais plutôt dans le sens du coup de poing à l'estomac.

L'objectif officiel était de rétablir l'accès aux établissements d'enseignement. Les effets pratiques seront plutôt d'utiliser la loi comme un rouleau compresseur pour écraser des libertés civiles et autres garanties constitutionnelles pourtant bien établies. Sauf erreur, rien d'aussi cinglant n'avait été adopté en la matière depuis la Crise d'octobre 1970.

La liberté d'expression pour commencer. Finies, les manifestations spontanées. Les organisateurs devront faire parvenir, huit heures à l'avance, aux corps de police un avis écrit indiquant le nombre de personnes attendues (comme si les organisateurs le savaient), ainsi que l'itinéraire prévu. Ce sera plus facile pour les policiers, ils seront plus efficaces, nous dit la nouvelle ministre de l'Éducation, Mme Michelle Courchesne. C'est ce qu'on appelle une évidence. À ce compte-là, on pourrait également obliger les manifestants à faire approuver au préalable leurs pancartes et leurs slogans par madame la ministre. Ou à remettre un échantillon d'ADN au service de police le plus proche, au cas où. Et puis aussi l'adresse de leur compte Twitter…

Ne riez pas, ce serait utile. En effet, qu'arrivera-t-il si un individu envoie par Twitter un message d'invitation à une manifestation spontanée ? « La nature et le contenu du message devront être considérés », nous répond madame la ministre, ajoutant au passage que les policiers pourraient faire des vérifications sur les médias sociaux. Et il ne s'agit pas ici d'un passage du célèbre *1984* de George Orwell ni d'une citation d'un ministre de la Corée du Nord.

Ensuite, la séparation des pouvoirs. L'article 9 de cette loi spéciale permet en effet au gouvernement d'apporter des « adaptations » à toute autre loi en vue d'assurer l'application de la loi 12. J'ignore si madame la ministre a étudié le droit, mais il semble que ce soit le cas de son premier ministre. Allait-il réellement à ses cours, notamment à ceux de droit constitutionnel ? Il est permis d'en douter. Habituellement, on y apprend aux étudiants de première année les concepts de base, comme la séparation des pouvoirs, par exemple. Comme le fait que le gouvernement et l'Assemblée nationale sont deux entités distinctes, et que le pouvoir exécutif ne peut s'immiscer dans le pouvoir législatif, qu'il ne peut amender ou adapter des dispositions législatives en lieu et place de celui-ci. C'est ce qu'on appelle le parlementarisme, une des pierres d'assise de notre régime démocratique.

Enfin, ses dispositions d'un point de vue criminel. Des amendes variant de 7 000 $ à 35 000 $ pour les leaders étudiants (de bons prêts et bourses seront nécessaires…) et de 25 000 $ à 125 000 $ pour leurs associations. Ces peines excessives contreviennent-elles à la Charte canadienne des droits et libertés ? Si on considère que l'amende maximale pour une fraude électorale est de 50 000 $, disons que la question mérite d'être posée. Plus « amusant » encore : la création du crime par omission. L'article 29 de la loi prévoit que « quiconque par un acte, omission, consentement ou conseil amène une autre personne à violer les dispositions de la loi commet lui-même une infraction» (et se trouve donc passible de recevoir les amendes précitées). Superbe. Petite question: je pourrais être accusé d'avoir contrevenu à la loi si j'ose «l'omission» de quoi, au fait? D'encourager un organisateur à donner l'itinéraire de la manifestation à la police? D'empêcher le 26e participant de se joindre au cortège? De ligoter Gabriel Nadeau-Dubois à son domicile?

Si cette loi visait à criminaliser la grogne étudiante et à censurer des propos dérangeants pour le gouvernement libéral, c'était réussi. À coup de massue. Une honte.

Suite logique et grogne populaire

Récapitulons : il y avait un conflit sur la hausse des frais de scolarité, il y avait les carrés rouges, les carrés verts, un débat, un affrontement politique, des manifs en permanence, de la casse ponctuelle, un premier ministre aux blagues douteuses, frisant le mépris et l'arrogance vaine. Puis il y a eu la démission d'une ministre au bord de l'abîme, Line Beauchamp, son remplacement au pied levé par un successeur bien connu pour son intransigeance, Michelle Courchesne.

Jusqu'à preuve du contraire, tout cela concernait des groupes bien définis, plutôt organisés. Allégeances avouées, intérêts corporatistes protégés. Plus maintenant. Exit, le noir, le blanc, les rouges et les verts, la nature manichéenne du débat. L'élément déclencheur ? La loi spéciale imposée par Québec. La *Loi permettant aux étudiants de recevoir l'enseignement dispensé par les établissements de niveau postsecondaire qu'ils fréquentent* a été présentée par le gouvernement Charest et adoptée le 18 mai 2012, à 68 voix contre 48, après environ 20 heures de débats en séance extraordinaire à l'Assemblée nationale du Québec.

La solution au débat, pensait-on. Après tout, le plus grand (le seul ?) mérite d'une loi spéciale n'est-il pas de clouer le bec aux opposants, d'assurer une transition, d'étouffer la grogne à coups de matraque, au propre comme au figuré ? L'histoire du Québec enseigne-t-elle autre chose ?

À vrai dire, non seulement la loi spéciale n'a en rien mis le couvercle sur la marmite, mais elle a plutôt provoqué l'explosion de celle-ci. Et toute une explosion : des flics qui refusent d'appliquer, sinon la lettre, au moins l'esprit de la loi. Des manifestants qui font de même, une augmentation quantitative et qualitative des démonstrations populaires, une avalanche de contestations en raison du caractère anticonstitutionnel du projet de loi 78, puis de la loi 12. Même le Barreau s'oppose à la loi, plusieurs de ses membres descendant dans la rue afin de scander haut et fort leurs inquiétudes.

De son côté, la Commission des droits de la personne n'a pas pris beaucoup de temps à réagir à l'adoption du projet de loi 78. Moins de deux mois après, en juillet 2012, elle rendait public un rapport de 56 pages – pour le moins sévère – sur la loi. Ainsi, la Commission concluait que : « De nombreuses dispositions de [la loi] enfreignent directement ou indirectement les libertés et droits garantis par la Charte, notamment les libertés fondamentales protégées par l'article 3 de celle-ci. Ces dispositions devraient, de ce fait, être jugées inapplicables en droit en vertu de l'article 52 de la Charte puisque le législateur n'a pas prévu expressément que la loi s'applique malgré celle-ci. » La Commission était également d'avis que plusieurs articles de la loi usaient d'une « sévérité excessive » et faisaient douter le citoyen de la nécessité de telles mesures.

Est-ce suffisant comme preuve d'un échec annoncé ? Sûrement. Mais il y a plus : la loi matraque a réussi à déclencher un festival de concerts de protestations sur une base quotidienne et à travers tout le Québec ou presque. Exit la matraque, bienvenues les casseroles. On tape à tour de bras. Des très jeunes, des jeunes, des moins jeunes et d'autres beaucoup moins jeunes. Et pourquoi ? Comme le disait la fille d'un ami, du haut de ses neuf ans : « pour manifester contre le gouvernement qui nous empêche de manifester ». Bravo, Béa ! On ne peut pas féliciter ainsi nos gouvernants.

Alors, indifférentes au débat sur les frais de scolarité, les casseroles ? En bonne partie, oui. On en veut surtout à la loi spéciale, qui transcende donc le premier enjeu des débats. Il semble aussi qu'on vise à témoigner d'une grogne généralisée, d'un ras-le-bol envers ce gouvernement fatigué et son discours soporifique digne d'une chambre de commerce.

Il faudra finalement attendre jusqu'en septembre 2012, soit la prise du pouvoir par le Parti québécois (ayant d'ailleurs promis de s'attaquer à la loi 12), pour que ces dispositions sur le droit de manifester soient abrogées par décret.

Au printemps 2012, roulant sur Saint-Michel et assistant à un concerto pour Lagostina en *do* majeur (ou était-ce en *sol*?), il me vint à l'esprit la réflexion suivante : le peuple en a marre, et c'est un euphémisme. Souhaitons que notre mémoire collective en garde l'essentiel : le Printemps érable fut beaucoup plus qu'une lutte estudiantine. Il devra rester comme l'expression d'un ras-le-bol généralisé, d'une écœurantite aiguë face au pouvoir en place, aux façons de faire politiciennes, et à probablement maints autres facteurs (insérez le vôtre ici).

GND, CASSE ET MANIFESTATIONS MASQUÉES

Au cours du Printemps érable, le Québec s'est trouvé, si l'on en croit son gouvernement provincial, un nouvel ennemi numéro un : le porte-parole de la CLASSE (Coalition large pour une solidarité syndicale étudiante), Gabriel Nadeau-Dubois, GND pour les intimes. Du haut de ses 21 ans, l'étudiant en histoire semble être devenu, bien malgré lui, le Jacques Mesrine de la révolte étudiante.

À défaut de présenter ses excuses à madame la ministre pour les vitres qui ont volé en éclats, les graffitis et autres gestes de vandalisme déplorables, GND s'est vu refuser par le gouvernement l'accès à la table des négociations. Comme si le bougre portait sur ses épaules l'ensemble des méfaits des casseurs professionnels ou néophytes s'étant joints au mouvement contestataire. Comme s'il avait lui-même été coffré par les flics, bombes de peinture dans les poches ou brique à la main. Comme s'il présentait un curriculum vitae moins honorable que certains bâtisseurs du Québec (au sens propre comme au figuré) avec qui les hommes et femmes d'État s'assoient pourtant sans gêne ni retenue. GND aurait eu un yacht, sa participation aurait-elle été davantage bienvenue ? L'histoire, sauf peut-être les bribes racontées à la Commission Charbonneau, ne le dit pas encore.

Casse et diversion

Gabriel Nadeau-Dubois aurait-il dû condamner toute forme de violence ? Cela va de soi. Pourquoi ne l'a-t-il pas fait alors ? Il répond que n'étant que porte-parole, il était dans l'obligation, avant chacune de ses prises de position, de consulter les membres de son association. Mais était-il légitime pour lancer la pierre sur le gouvernement et déplorer, tout comme Amnistie internationale, les débordements policiers ? Arroseur arrosé ? Le pavé est dans la mare, bien qu'il me semble hasardeux de justifier la violence des uns par celle des autres. Dans toute société de droit qui se respecte, aucun comportement comme ceux vus à ce moment-là ne peut trouver d'excuses, bavures policières incluses.

Mais le point est tout autre. Il était assez évident que madame la ministre avait choisi de faire de GND son bouc émissaire, pour tenter précisément de créer une brèche dans la solidarité étudiante. Sauf que la stratégie a fait patate. Pourquoi ? Parce que personne, ou presque, n'a été dupe. N'est pas Machiavel qui veut, de toute évidence.

L'interdiction du masque ou la solution magique

Malgré ce qui précède, reste que les problèmes de casse sont à prendre au sérieux. Le droit à la manifestation pacifique s'arrête évidemment, par définition, où débute une forme de violence. Malheureusement, c'est toujours la même chanson : suffit de quelques excités dans une foule pour que celle-ci soit diabolisée.

La solution ? Pas simple. L'ex-maire Tremblay, alors en poste, propose l'interdiction de manifester en portant un masque. Ceux qui n'ont rien à se reprocher n'ont rien à cacher, tonne-t-il (prenant pour acquis que Tremblay pouvait effectivement tonner). Un projet de règlement municipal (P-6) s'ensuit. Adoption en mai 2012.

Près d'un an plus tard, en avril 2013, le conseil municipal de Montréal rejette, à 34 voix contre 25, une motion de Projet Montréal visant à abroger le règlement P-6. Depuis, la contestation constitutionnelle du règlement, par divers groupes, se poursuit, la première manche ayant été perdue.

Il est facile de comprendre le point de vue d'un maire devant sa ville vandalisée un peu plus chaque jour, pour un enjeu dont la solution réside à l'autre bout de la 20. Sauf que les solutions clefs en main, en matière de droit public, sont aussi rares qu'un dialogue sincère et constructif entre le gouvernement et ses associations étudiantes.

Le règlement imaginé par Tremblay ne fait pas exception à la règle. L'interdiction en question, bien que recevable, comporte sa part de risques en termes de conséquences. C'est d'ailleurs ce que la Cour supérieure a déterminé en 2004 à propos d'un règlement similaire de la Ville de Québec. Celui-ci visait à interdire à quiconque de se trouver « masqué ou déguisé, de jour ou de nuit, dans une rue ». Et comme dans toute situation où on s'en remet à la discrétion policière, ce qui devait arriver arriva : un homme fut arrêté en pleine rue pour avoir récité du Shakespeare... avec un casque de hockey sur la tête. La Cour a donc dit : non seulement le règlement brime la liberté d'expression, mais son imprécision laisse place à un dangereux arbitraire policier. Toujours selon la Cour, Bonhomme Carnaval, le père Noël et les policiers antiémeutes auraient aussi pu être mis à l'amende en vertu du règlement maintenant invalidé.

Pour être constitutionnelle, la disposition aurait dû préciser qu'il est interdit de se déguiser « dans l'intention de commettre un acte criminel ». Mais à quoi bon ? En fait, le Code criminel prévoit déjà la même infraction, laquelle peut bien sûr être invoquée par les policiers lors de manifestations : « quiconque, dans l'intention de commettre un acte criminel, a la figure couverte d'un masque ou enduite de couleur ou est autrement déguisé », et constitue ainsi une violation de l'article 351 du Code criminel. Sauf que cette disposition est insuffisante, clament les flics, parce qu'il est souvent trop difficile de prouver l'intention malveillante.

On peut les comprendre. Mais entre deux maux, on choisit d'ordinaire le moindre. C'est d'ailleurs ce que fait la Cour supérieure. Tout exercice purement discrétionnaire comporte en lui-même les gènes d'un dérapage. La Crise d'octobre et la Loi sur les mesures de guerre, par exemple. Arrestations et perquisitions sans mandat, donc d'un arbitraire absolu. Le *wet dream* de tout corps policier moyennement zélé, quoi. Résultat ? À l'époque, près de cinq cents arrestations, la plupart sans fondement, et bon nombre de perquisitions plutôt rocambolesques.

Mes préférées ? La perquisition par des policiers du domicile du ministre fédéral Gérard Pelletier, leur patron ! Mieux encore : l'arrestation du malheureux propriétaire d'un bouquin portant sur le cubisme. Le lien ? Facile : cubisme = Cuba = Castro = communisme. Allez hop, un autre révolutionnaire dans le panier à salades…

La police des polices

Dans les cas de bavures policières, présumées ou réelles, on ouvre bien sûr une enquête, laquelle est menée par… des collègues policiers. Nul besoin d'être doctorant en éthique pour déceler l'ironie de cette situation, et le conflit d'intérêts pur et simple. Difficile également de voir ça comme un détail. Les cas de Mario Hamel, de Patrick Limoges et de Freddy Villanueva[1] en constituent les plus récentes et malheureuses illustrations.

Quelle serait la solution ? La séparation des pouvoirs établie par Locke et Montesquieu comporte ses limites. Qui surveille la police ? La police. Qui juge le juge ? Le juge. Idem pour les corporations professionnelles, le Barreau et le Collège des médecins, par exemple. Sans présumer de la partialité de ceux-ci,

1. Patrick Limoges est décédé en juin 2011, après avoir été atteint accidentellement par une balle d'un agent du Service de police de la Ville de Montréal qui tentait de maîtriser le sans-abri en détresse, Mario Hamel. Freddy Villanueva est pour sa part décédé en août 2008, abattu lors d'une intervention policière dans l'arrondissement Montréal-Nord. La mort du jeune homme de 18 ans sans antécédents judiciaires a suscité de vives réactions de certains résidents et organismes locaux, dont une émeute dans le secteur nord-est de Montréal-Nord.

il est permis de convenir à l'apparence de conflit d'intérêts, aux risques de traitements de faveur.

Donc le système est imparfait? On continue comme ça, parce que rien ne change anyway? On se met la tête dans le cynisme qui vient inévitablement avec toutes ces bavures?

Non, bien sûr. Le ministre québécois de la Sécurité publique, Robert Dutil, semble abonder dans le même sens. En déposant récemment le projet de loi 46, qui prévoit la création d'un Bureau civil de surveillance des enquêtes indépendantes, le ministre à la fois admet le fléau visé et propose des moyens pour l'enrayer. La méthode? Simple sans être simpliste: pour toute enquête de policiers sur leurs pairs, des civils devront s'assurer que celle-ci a été conduite de manière juste et impartiale. Sans participer directement à celle-ci, les civils en question seront en quelque sorte « les yeux du public ». En plus d'accéder à la scène du crime, ils seront en droit d'assister aux interrogatoires et d'obtenir les détails de l'enquête. Toute irrégularité sera communiquée au ministre par le président du Bureau, celui-ci étant juge ou avocat.

Est-ce suffisant pour obliger les corps policiers à plus de précautions sur les procédures et les traitements applicables? Probablement. Est-ce suffisant pour enrayer la problématique dans son ensemble? On peut en douter, évidemment.

En fait, il aurait peut-être été préférable de s'en remettre aux recommandations de la Protectrice du citoyen, laquelle proposait la création d'un bureau totalement indépendant formé de policiers retraités et de civils. Exit les confrères actuels. Exit le risque de contamination de témoignages. Exit la complaisance. Et pourquoi le ministre s'est-il refusé à aller dans cette voie ? Peut-on présumer de cette même complaisance, mais cette fois à l'endroit de ses propres « employés » ? La question est posée. À défaut d'un système de contrepoids bien établi et parfaitement étanche, saluons tout de même ce premier pas, apparemment dans la bonne direction. Comme disait Lord Acton : « Le pouvoir corrompt, le pouvoir absolu corrompt absolument. »

Le projet de loi 46 – *Loi concernant les enquêtes policières indépendantes* – a donc été déposé en décembre 2011 par le ministre de la Sécurité publique, Robert Dutil. Ce projet de loi instaurait le Bureau civil de surveillance des enquêtes indépendantes. Le Bureau ne devait pas « enquêter », mais bien « surveiller » les enquêtes ordonnées par le ministère de la Sécurité publique lorsqu'une personne subissait de graves blessures ou mourait lors d'une intervention policière. Le projet de loi 46 a provoqué un important débat en commission parlementaire, certains préconisant que le Bureau soit composé uniquement de civils – pour garantir l'impartialité – alors que d'autres recommandaient une composition mixte, intégrant des policiers actifs et retraités à une équipe de civils, ceci afin que le Bureau bénéficie d'un maximum d'expertises.

En novembre 2012, le gouvernement du Québec, sous la gouverne du Parti québécois, déposait le projet de loi 12 (*Loi modifiant la Loi sur la police concernant les enquêtes indépendantes*). Le projet a été adopté afin d'entrer en vigueur en mai 2013.

Finalement, il fut décidé que le Bureau des enquêtes indépendantes serait composé uniquement de civils. Un juge ou un avocat membre du Barreau depuis au moins 15 ans en assurera la direction. Ce juriste chargé de chapeauter le déroulement du Bureau sera nommé par un comité formé du sous-ministre, d'un avocat désigné par le Barreau, et du Protecteur du citoyen. On progresse.

La torture justifiée

On croyait, à tort, avoir tout vu : abolition du registre des armes à feu, réouverture insidieuse du débat sur l'avortement, violation de l'entente avec Omar Khadr, abandon illégal du protocole de Kyoto, discours d'un sénateur pro-pendaison des détenus, loi sur le renforcement des peines[1], etc.

Un tel menu législatif suffirait d'ordinaire à nous convaincre d'une évidence : nous sommes ici en présence d'un gouvernement assumant une droite clairement idéologique. Sauf que la majorité citoyenne, si l'on en croit les récents sondages, approuve les orientations fédérales. Sympathie ou apathie ? Allez savoir.

Histoire de profiter de cette accalmie sociale, le ministre de la Sécurité publique, Vic Toews, vient d'en ajouter une couche. À vrai dire, il ne manquait

---

1. On parle ici de la loi omnibus C-10 sur la justice criminelle, adoptée en décembre 2011 et qui a repris neuf anciens projets de loi jamais adoptés lors des cinq années où le gouvernement conservateur était minoritaire à la Chambre des communes. Ce projet a été particulièrement critiqué au Québec et en Ontario, sur la base qu'il renforçait indûment (ou de façon démesurée) la justice criminelle.

que celle-ci pour compléter le portrait d'une droite que, naïvement, on croyait révolue : la torture. Oui, vous avez bien lu : la torture.

Excellente illustration de l'hypocrisie à la sauce canadienne, une directive adressée le 23 août 2012 au directeur du Service canadien du renseignement de sécurité par le ministre Toews indique que : « Dans des circonstances exceptionnelles, le SCRS pourrait devoir partager l'information la plus complète qui se trouve en sa possession, incluant de l'information provenant d'une entité étrangère qui est probablement dérivée de mauvais traitements, afin de mitiger une menace sérieuse de perte de vie, de blessure ou de dommage substantiel ou de destruction d'un bien. »

Le problème avec le fait d'utiliser de l'information obtenue sous la torture, quelle que soit la cause en jeu ? D'abord, le fait d'utiliser de telles preuves en vient, hypocritement encore, à encourager implicitement la torture. Qu'on la pratique soi-même ou non n'y change rien. Deuxièmement, la torture contrevient aux traités internationaux, auxquels le Canada a souscrit[2] et qui interdisent les expulsions impliquant un risque de torture. Voilà donc une nouvelle violation de nos obligations.

2. Le Canada a notamment ratifié la *Convention contre la torture et autres peines ou traitements cruels, inhumains ou dégradants*, la *Convention relative aux droits de l'enfant*, et a adhéré au *Pacte international des droits civils et politiques*.

De plus, il est convenu que la torture constitue un traitement cruel en vertu de l'article 12 de la Charte canadienne des droits et libertés. La Cour suprême affirme en 2012, dans l'arrêt Suresh[3] : la torture est « si intrinsèquement répugnante qu'elle ne saurait jamais constituer un châtiment approprié, aussi odieuse soit l'infraction ». Elle ajoute aussi que « la perspective de la torture provoque la peur, et les conséquences de la torture peuvent être dévastatrices, irréversibles, voire fatales ».

Enfin, où est la cohérence politique ? Ce même gouvernement, jadis minoritaire (donc freiné dans ses ardeurs idéologiques), affirmait que « s'il y a une quelconque indication qu'on a eu recours à la torture, l'information est mise de côté. C'est aussi simple que cela ». Qu'est-ce qui a bien pu depuis justifier la nouvelle directive ? Occupy Square-Victoria ?

Le rejet systématique de la torture par toute société de droit trouve aussi sa motivation en ceci : la preuve obtenue, par définition, est défaillante. Parlez-en à Khadr, lequel aurait admis sa culpabilité après avoir été torturé par ses bourreaux de Guantánamo ; ses aveux étant recueillis par des agents canadiens, faut-il le rappeler.

En Chambre, le 7 février 2012, le ministre de la Citoyenneté et de l'Immigration, Jason Kenney, a ajouté que « bien sûr, nous nous opposons à

3. Suresh était un réfugié du Sri Lanka qui avait appliqué pour un statut d'immigrant au Canada.

l'utilisation de la torture, mais nous croyons que les agences canadiennes de sécurité devraient accorder la priorité à la protection de la vie» (lire: la torture est immorale, sauf quand c'est utile).

Dans son plus récent rapport, daté de juin 2012, le Comité de l'ONU contre la torture s'est dit préoccupé par:

- Le fait que des renseignements obtenus sous la torture auraient été utilisés pour établir des certificats de sécurité contre des personnes au Canada.
- L'absence de mécanismes efficaces permettant à toutes les victimes de torture d'obtenir réparation au civil, y compris une indemnisation, situation principalement due aux restrictions prévues par la Loi sur l'immunité des États. L'ONU recommandait que le Canada modifie ses lois en conséquence.
- La réticence apparente de l'État à protéger les droits de tous les Canadiens détenus dans d'autres pays, par exemple dans le cas de Maher Arar.

Ce même Comité de l'ONU ajoute que:

> Tout en prenant note des priorités de l'État en matière de sécurité nationale, le Comité se déclare profondément préoccupé par la Directive ministérielle adressée au Service canadien du renseignement de sécurité, qui pourrait aboutir à des violations de l'article 15 de la Convention, en ce sens qu'elle autorise l'utilisation

> au Canada de renseignements de sécurité susceptibles d'avoir été obtenus par la torture dans des États étrangers, et autorise le Service du renseignement de sécurité à partager les renseignements avec des organismes étrangers même s'il existe un risque de torture important, dans des cas exceptionnels où la sécurité publique est menacée [...].

La revanche, maintenant. N'étant aucunement un adepte de la théorie du complot, je n'irai certainement pas jusqu'à prétendre que les actions du gouvernement fédéral sont dirigées précisément contre le Québec. Celles-ci, par contre, peuvent être aisément entendues comme ceci : nous bâtirons le Canada sans vous. Certaines de nos politiques vous donnent le vertige ? heurtent profondément vos valeurs et autres symboles ? Bhou-hou-hou. Vraiment ? Et qu'allez-vous faire, dorénavant ? Voter contre nous ? C'est déjà fait. De toute manière, les derniers résultats électoraux sont très clairs : nous n'avons aucunement besoin de vos appuis pour assurer notre majorité. Au contraire, d'ailleurs.

Voici quelques illustrations de l'attitude du gouvernement conservateur :

- adoption du projet de loi omnibus C-10 en matière criminelle, bâillon à l'appui ;
- rejet conséquent du modèle québécois basé sur la réhabilitation quant au régime visant les jeunes contrevenants ;
- encombrement des prisons provinciales par le durcissement des peines ;

- nomination de Michael Moldaver, un juge unilingue anglophone à la Cour suprême en novembre 2011 ;
- nomination de Angelo Persichilli, unilingue anglophone, au poste de directeur des communications du cabinet du premier ministre en août 2011 (celui-ci démissionnera peu après, en mars 2012) ;
- nomination de Michael Ferguson, unilingue anglophone, au poste de vérificateur général en octobre 2011 ;
- volonté de détruire les données et informations du registre des armes à feu concernant les citoyens québécois, malgré une résolution unanime de l'Assemblée nationale à l'effet contraire ;
- affichage dans l'ensemble des ambassades canadiennes et dans certains ministères fédéraux d'une photo de la reine, symbole monarchique pour le moins désuet ;
- dans la même veine, retour inopiné en 2011 de l'appellation « royale » pour la force aérienne et la marine : Aviation royale canadienne et Marine royale canadienne ;
- abolition du financement public des partis politiques, mesure émanant initialement du Québec ;
- absence de transparence complète dans le dossier du pont Champlain.

Nul besoin d'avoir la tête à Papineau pour comprendre que les illustrations précédentes ont tout à voir avec le politique plutôt qu'avec la primauté du droit.

Il s'agit de domaines où le fédéral possède une discrétion quasi complète, celle-ci étant essentiellement de nature politique. Hélas, cela vaut même dans les cas où Ottawa agit par malice ou par esprit revanchard. De mauvais fédéralistes, les conservateurs ? D'aucuns seraient tentés de répondre par l'affirmative.

Impossible, légalement parlant, d'empêcher un gouvernement de promouvoir ses valeurs, et ce, même si elles heurtent à divers degrés l'une de ses composantes qui, aux dernières nouvelles, constituait toujours une partie essentielle de ce pays.

L'IMMIGRATION ET L'ILLUSOIRE PROTECTION DES RÉFUGIÉS

Nouvelle offensive fédérale issue d'une politique autant classique que résolument populiste : les conservateurs souhaitent s'attaquer aux réfugiés et autres immigrants considérés illégaux. Le moyen ? Le projet de loi C-31. Ses objectifs ? Selon le ministre Kenney, il s'agit d'assurer la sécurité du citoyen canadien et, il va de soi, prévenir les abus du système d'aide sociale au pays. La vieille cassette toujours utile en période électorale, cela dit.

Après avoir suscité de longs débats en Chambre et de vives réactions médiatiques, le projet de loi C-31 recevait finalement la sanction royale le 28 juin 2012. Malgré les concessions faites par le gouvernement conservateur sur la dernière version du projet avant son entrée en vigueur, il n'en demeure pas moins que cette loi se trouve être à la fois illégitime et inconstitutionnelle.

La prison d'abord, le procès ensuite

Au départ, le projet de loi prévoyait la détention automatique. Il accordait au ministre le pouvoir de placer en détention les immigrants débarqués illégalement au pays. Durée maximale de cet emprisonnement, sans possible demande de contrôle judiciaire ? Un an. Cette mesure pouvait s'appliquer de la même manière aux enfants de ces immigrants dits illégaux, à la discrétion du ministre.

La loi adoptée prévoit plutôt que ces immigrants irréguliers pourront comparaître une première fois devant la Commission de l'immigration et du statut de réfugié (CISR) au bout de 14 jours de détention. Si la détention est maintenue, une deuxième audience aura lieu six mois plus tard, et ensuite, tous les six mois. La loi s'applique également aux enfants des immigrants.

La loi octroie aussi au ministre de la Sécurité publique un pouvoir discrétionnaire pour désigner deux ressortissants étrangers ou plus en tant que groupe en « arrivée irrégulière », en se basant sur le soupçon d'« organisation d'entrée illégale ». Ces personnes seront placées en détention obligatoire, n'auront pas le droit d'interjeter appel de la décision sur leur statut de réfugié, et n'auront pas droit à la résidence permanente avant un minimum de cinq ans, même en obtenant le statut de réfugié, et donc aucune possibilité de réunification familiale avec les conjoints et les enfants.

Après analyse, cette détention constitue une violation claire de la Convention relative au statut des réfugiés, celle-ci interdisant la punition du réfugié pour le simple fait d'une «arrivée irrégulière» au pays. Ceci tombe sous le sens: la détention sans procès d'un réfugié devrait être justifiée par la preuve du danger qu'il constitue pour la société canadienne, non par le fait qu'il a débarqué par bateau, radeau ou par aéronef.

La violation de la Convention est d'autant plus considérable avec la discrétion ministérielle qui est prévue. Du moins, si on considère comme prémisse que le principe du contrôle judiciaire de l'individu constitue, à juste titre, une pierre d'assise de la justice fondamentale. Celle-ci est d'ailleurs confirmée à la fois par la Charte canadienne des droits, le Pacte international relatif aux droits civils et politiques, et la... *Magna Carta* de 1215[1]. Principe bien reconnu

1. Aussi appelée «Grande Charte», la *Magna Carta* est le résultat de l'exaspération de barons anglais excédés des exigences et des échecs du roi d'Angleterre, Jean sans Terre. Ainsi, en 1215, ils se sont emparés de Londres par la force et ont contraint le roi à accepter les «Articles des Barons», en échange de quoi ils lui renouvelleraient leur serment de fidélité. Un document pour enregistrer l'accord fut créé par la chancellerie royale le 15 juillet: c'est l'original de la *Magna Carta*. Celle-ci garantit, entre autres, le droit à la liberté individuelle, limite l'arbitraire royal et établit en droit l'*habeas corpus* (qui empêche, par exemple, l'emprisonnement arbitraire). Cette charte est la plus ancienne manifestation importante des règles de légalité constitutionnelle dans les pays anglo-saxons. La *Magna Carta* a été une source d'inspiration notamment pour la Constitution américaine et la Déclaration universelle des droits de l'homme.

donc, sauf par le gouvernement Harper. Une nouvelle valeur canadienne, la détention préventive et arbitraire ? Espérons que non.

Pays sûrs, pays moins sûrs

Afin de réduire les délais de traitement des diverses demandes d'asile, la nouvelle loi C-31 propose (ou impose, c'est selon) une liste de pays jugés « sûrs » (ou « pays désignés »), lorsque plus de 75 % des demandes d'asile de ses ressortissants sont rejetées, ou si plus de 60 % d'entre elles sont abandonnées. Mais le ministre de l'Immigration a aussi le pouvoir de désigner les pays qu'il juge démocratiques et dotés d'un système de justice indépendant.

Les ressortissants de ces « pays sûrs » voient alors leurs demandes traitées de manière expéditive, leur audience ayant lieu au bout de 30 jours s'ils font leur demande sur le territoire du Canada, et 45 jours s'ils font leur demande depuis l'étranger. En plus de se voir refuser la possibilité de porter la décision en appel dans le cas où leur demande est rejetée, ceux-ci devront, le cas échéant, attendre un an avant de formuler toute nouvelle demande. Et le ministre pourra évidemment, pendant cette période, renvoyer, ou plutôt déporter immédiatement dans leur pays d'origine, les « soumissionnaires déchus » et ce, même s'ils font une demande de contrôle judiciaire, motif humanitaire ou pas.

De plus, les demandeurs dont le statut de réfugié a été refusé ne sont plus admissibles à l'examen des risques avant le renvoi, ce qui signifie qu'ils ne disposent d'aucune possibilité de soumettre de nouvelles preuves qui seraient apparues après la décision de refus du statut. Pour combien de temps, cette absence de recours ? Trois ans pour les demandeurs d'un pays désigné, et un an pour les autres.

Par ailleurs, les réfugiés ne sont plus autorisés à déposer une demande pour motifs d'ordre humanitaire au cours de l'année suivant un refus, sauf s'ils peuvent prouver qu'il y va de l'intérêt supérieur d'un enfant, ou s'ils souffrent d'une maladie grave potentiellement mortelle. Quant aux ressortissants étrangers désignés, ils ne peuvent déposer une demande *pour quelque motif que ce soit*, et ce, pendant cinq ans.

L'article 15 (1) de la Charte canadienne des droits et libertés interdit toute forme de discrimination fondée sur l'origine nationale. Pour ceux qui douteraient que l'État canadien soit assujetti à la Charte des droits pour le traitement des étrangers (peut-être est-ce le cas de M. Harper et de ses collègues ?), la Cour suprême a déjà confirmé ce même principe à quelques reprises. Il est d'ailleurs peu probable qu'une telle mesure discriminatoire puisse être rachetée par l'article premier de la Charte[2].

2. L'article premier de la Charte prévoit en effet qu'une violation de celle-ci peut se voir justifiée dans le « cadre d'une société libre

Illustration concrète de la problématique en cause : le cas des Roms. Habitant divers pays d'Europe, un continent jugé « sûr » par Ottawa, les Roms sont victimes là-bas de multiples violations de leurs droits fondamentaux. La discrimination invoquée plus haut aurait alors pour effet de réduire les possibilités pour les Roms de fuir un régime qui les opprime.

Interrogé là-dessus, le futur ex-ministre de l'Immigration Jason Kenney répond que les Roms souhaitent uniquement profiter des avantages sociaux offerts au Canada et que, s'ils courent un réel danger dans leur pays d'origine, et bien ils n'ont qu'à aller cogner à une autre porte. Celle d'un pays sûr, par exemple…

et démocratique ». La Cour suprême a élaboré un test à ce sujet dans l'arrêt Oakes. D'abord, la restriction imposée à un droit ou une liberté garantis par la Charte doit viser un objectif réel et urgent. Ensuite, les moyens employés doivent être proportionnels à l'objectif. Ces moyens comportent trois critères : ils doivent avoir un lien rationnel avec l'objectif, ils doivent porter le moins possible atteinte au droit, et il faut une proportionnalité entre la restriction et l'objectif.

Partie II

POPULISME ET TRIBUNAL MÉDIATIQUE

Le Far West ou la Commission Charbonneau

C'était prévisible, la commission d'enquête qui envahit actuellement l'espace médiatique québécois diffère peu ou pas des précédentes, du moins en ce qui concerne l'application des règles de preuve. Rigueur quasi inexistante, ouï-dire, crime par association, c'est-à-dire culpabilité du fait d'être associé à un accusé, réel ou appréhendé, et simili-procès spectacles. Le cirque est d'autant plus triste qu'il semble finalement dédouaner les coquins ayant profité des largesses d'un système établi par eux et pour eux. Du joli.

Pendant que Lino Zambito tire profit des cotes d'écoute de *Tout le monde en parle* en lavant sa conscience en public, augmente son nombre de fans sur Facebook et fait la promotion de sa nouvelle pizzeria, d'autres se font clouer au pilori médiatique et populaire. Il est question ici de Gérald Tremblay.

Non, je ne veux pas défendre l'ex-maire de Montréal, son manque de vision ou même de conviction, sinon celle, manifestement insuffisante, d'aimer sa ville. Le Bixi comme symbole d'un bilan ? Wow. Optons plutôt pour le cône orange. Passons aussi sur les nominations douteuses, volontaires ou pas, d'ex-proches du maire ayant aujourd'hui les menottes aux poignets. Idem pour ne pas avoir mis sur pied un système de vérification efficace pour l'octroi des contrats accordés par sa ville.

Sauf qu'il demeure ceci : qu'on soit un admirateur ou non de Tremblay, rien ni personne ne peut aujourd'hui témoigner de l'implication personnelle de l'ex-maire dans une quelconque magouille d'ordre criminel. Depuis belle lurette, *La Presse* et autres médias lui reprochaient de ne pas savoir, ou encore de prétendre ne pas savoir. Aveuglement volontaire ou involontaire, donc. Ceci fut toutefois insuffisant, au grand désarroi des chroniqueurs-redresseurs-de-torts, pour réclamer et surtout obtenir la démission de l'homme politique.

Jusqu'au jour où un obscur ex-organisateur d'Union Montréal, Martin Dumont, possiblement attiré à la fois par les projecteurs et l'immunité que procure la Commission Charbonneau, est venu s'asseoir au confessionnal le plus populaire du Québec. Coffre-fort qui ne ferme plus, rencontre mafia-politique au sommet de l'urinoir, et quoi encore. Ah oui, ceci : le désormais ex-maire aurait prétendument assisté à une rencontre où aurait été dévoilée la dichotomie entre une comptabilité officielle et celle officieuse d'Union Montréal, son parti. Le maire bougre se serait levé alors et aurait balancé un genre de: «Je n'ai pas à savoir ça.» Et voilà, le tsunami, maintenant. *La Presse* titre le lendemain, en page frontispice, s'il vous plaît: «TREMBLAY SAVAIT!» (les majuscules ne sont pas de moi).

Laissons aller le système de justice parallèle. Laissons-lui faire la sale besogne, celle qui nous est interdite par les principes de justice fondamentale. Appelons Patrick Lagacé, ce sera plus simple que d'ajouter au recours en *quo warranto*[1] l'élément suivant: «tout élu dont le nom sera mentionné lors d'une commission d'enquête sera susceptible d'être considéré inéligible à l'exercice d'une charge publique». Voilà.

En bref, M. Tremblay savait, parce que le très crédible Martin Dumont l'a dit. Merci. Vous méritez maintenant un billet aller-retour pour *Tout le monde en parle*, vous aussi. Pensez aussi à ouvrir une pizzeria, ça risque de marcher fort.

On me dira qu'il y a une différence entre légitimité politique et légalité. C'est vrai. Et que c'est au

1. Le *quo warranto* est une procédure qui vise à déchoir une personne qui usurpe des fonctions, à empêcher qu'elle continue à exercer illégalement, par exemple une fonction publique, une fonction pour une personne morale de droit public ou privé, ou dans un organisme public. Le *quo warranto* ne peut pas être utilisé pour destituer une personne en raison d'actes ou d'omissions qui lui sont reprochés; il se limite à l'éligibilité de la personne pour la charge qu'elle occupe.

nom de la première que Tremblay s'est vu montrer la porte par *La Presse* et par le ministre Lisée qui confond les concepts d'allégation et de condamnation. Vrai aussi. Sauf que ce verdict journalistique et ministériel sur la perte de légitimité du maire se fonde sur l'élément déclencheur suivant : le témoignage d'un ex-organisateur, crédible ou non, devant une commission d'enquête. Aucune corroboration. Aucune preuve matérielle. Rien. La version du maire ? Qui s'en soucie ? Soupçonné par le système de justice, le maire ? Non. Accusé par le système de justice ? Non. Condamné par le système de justice ? Non plus, aux dernières nouvelles.

Alors quoi ? Alors rien. Pas grave. Dehors, le maire. Le monde-il-est-tanné. Une réputation de plus ternie pour de bon, cette fois celle d'un homme ayant passé le plus clair de sa vie au service du citoyen. Pourquoi ? Parce que la rumeur-pas-encore-vérifiée-ni-corroborée-par-une-preuve-sérieuse dit qu'il savait que son parti tenait une comptabilité officieuse.

Vive ce système de justice parallèle. Vive ce tribunal populaire. Vive ces membres du jury, autrefois appelés journalistes. Vive la fin de la présomption d'innocence. Plus simple. Plus rapide. Plus efficace. Au suivant ! Belle façon, en effet, de mettre fin au cynisme ambiant et d'encourager l'engagement politique…

Les dérapages de la Commission Charbonneau, comme un vaudeville, font le meilleur show en ville, là où la téléréalité dépasse de loin la fiction. Avis aux concepteurs d'*Occupation Double*, *Loft Story* et autres émissions du genre : vous êtes largement battus.

Quel élu sera banni cette semaine ? Quelle crapule avouée obtiendra la sympathie du public ? Qui viendra admettre, sous serment, avoir entendu Monsieur Chose dire avoir entendu que Madame Machin, ministre de son ancienne profession, serait allée dîner au Pacini ? Qui ira ensuite se faire applaudir à *Tout le monde en parle* ? Manque seulement le point de vue du Doc Mailloux sur la psychologie de chacun des intervenants, et ce sera parfait...

Mensonges et demi-vérités

Retour sur Martin Dumont. Son premier témoignage aurait été truffé de mensonges ou de demi-vérités, dixit le procureur Gallant, un doigt accusateur au nez du nouvel accusé. Changez de côté, vous vous êtes trompés...

Rappelons en effet que le témoignage de M. Dumont, ô combien croustillant, fit bien l'affaire du procureur de la Commission, de ses auditeurs et, il va de soi, des médias : il provoqua la chute du maire déjà moribond, orchestrée au final par quelques chroniqueurs de *La Presse*.

Par la suite, maints articles cinglants (ou sanglants, c'est selon) en vinrent à convaincre le ministre de réclamer la tête du maire de la plus importante ville du Québec. « Le statu quo est intenable ! », de plaider alors Jean-François Lisée, appuyé comme toujours par la première ministre. En d'autres termes : Tremblay, bon vent ! Celui-ci s'est même vu refuser le droit d'être entendu par la Commission. Cela ne vous rappelle pas le goudron et les plumes ? Le Far West, quoi…

Tout cela sur la base du témoignage de M. Dumont. Comment ces mêmes procureurs, qui se font aujourd'hui un plaisir à mettre en doute la crédibilité de leur ex-témoin vedette, ont-ils pu, en toute connaissance de cause, éluder toute vérification préliminaire ? Afin de donner un meilleur spectacle ?

Dans tous les cas, les médias vous remercient chaudement. Grâce à vous, non seulement ils ont enfin réussi à clouer au pilori l'élu mal-aimé, mais ils peuvent aussi maintenant crier le ridicule du témoin Dumont. Bref, le beurre et l'argent du beurre.

À cet effet d'ailleurs, d'aucuns souhaiteraient que les récents dérapages (pardonnez l'euphémisme) donnent lieu à une plus grande rigueur journalistique. Cela serait effectivement dans l'ordre des choses. Tut, tut ! *Le Devoir*, alors seul rescapé de l'escouade chasse aux sorcières, n'est maintenant plus en reste : « Applebaum au resto de la mafia », titrait récemment *Le Devoir*, journal d'Henri Bourassa, un intellectuel d'exception. De quoi créer un certain mouvement dans sa tombe.

L'État de droit est-il en si mauvaise posture ? Oui, si le simple fait pour un élu de fréquenter un restaurant prétendument accrédité ISO Mafia constitue en soi une preuve de crime. La présomption d'innocence et le droit d'être entendu sont, aux yeux de certains, des concepts visant à protéger les bandits. Tirons d'abord et, ensuite, nous poserons les questions. Le Far West, dis-je.

Ces concepts possèdent pourtant une vertu fondamentale : celle d'éviter de sacrifier inutilement des réputations, des vies professionnelles ou privées, et de canaliser la soif de vengeance populaire et médiatique.

J'étais et suis encore de ceux qui se méfient des commissions d'enquête. L'exercice, théoriquement noble et pertinent, se transforme trop aisément en buffet médiatique à la sauce sensationnaliste. Loin d'être de la responsabilité des commissaires ou de ses procureurs, ceux-ci faisant habituellement leur travail de façon honnête et rigoureuse, les dérives soulevées plus haut sont plutôt la conséquence d'une rigueur médiatique inversement proportionnelle à l'influence exercée par le 4e pouvoir. Notamment sur la réputation d'autrui.

Cela dit, au-delà des raccourcis médiatiques spécifiques à la couverture de la Commission Charbonneau, un fait demeure : si le *modus operandi* pointé ici s'avère un tant soit peu durable, nous voilà dans de beaux draps. Politiquement, collectivement, et fiscalement parlant.

Ajoutez à ce qui précède la razzia de l'UPAC en termes de perquisitions et d'accusations, et ce qui fut pendant longtemps une simple rumeur deviendra sous peu la triste réalité : le milieu québécois de la construction serait donc corrompu. Idem pour le processus d'octroi des contrats publics, visiblement contaminé par la mainmise d'un louche entrepreneuriat sur une faction politique aussi peu vertueuse.

Ces derniers jours, certaines observations, en vrac, me sont venues à l'esprit.

Parle-t-on réellement ici du Québec ? D'une société libre et démocratique, où l'appareil politique doit, autant que possible, s'isoler des pressions et trafics d'influence du milieu corporatif ? Le versement direct de ristournes aux partis politiques, voire aux hommes d'État, afin d'obtenir un contrat public ? Vraiment ? Duplessisme 2.0 ou version moderne de la Grande Noirceur ? Qu'en est-il aujourd'hui de l'assainissement des mœurs politiques entrepris par René Lévesque ?

Depuis combien de temps ce *modus operandi* existe-t-il ? Que faisaient les policiers pendant tout ce temps ? Ils attendaient la mise sur pied de l'UPAC ? De la Commission Charbonneau ? La corruption ne constitue-t-elle pas un crime d'importance au moins égale à certaines infractions devenues désuètes ? Plus complexe certes que de tapocher un inoffensif badaud tenant sa bière sur le trottoir, mais quand même. Où se trouvait le matricule 728 lorsque nous avions réellement besoin d'elle ? Me semble que certains mafieux y penseraient à deux fois… Fin de la capsule humour noir (et inutile).

Si la pertinence de l'UPAC et de la Commission se révélait si fondamentale, pourquoi avoir tant tardé ? Vous me répondrez : la complicité politicienne. Peut-être. Mais n'a-t-on pas les gouvernements qu'on mérite ?

Une fois le spectacle terminé et les médias enfin repus, que faire ? Suivre les recommandations de la Commission Charbonneau ? J'espère bien. Mettre en place une régie d'octroi des contrats publics ou quelque chose de similaire ? Pourquoi pas.

Mais encore ? Mais ensuite ? Combien de temps faudra-t-il avant que d'autres petits arrivistes chaussent les souliers de leurs prédécesseurs politiciens ou entrepreneurs ? avant que des ministres s'adonnent de nouveau à l'aplatventrisme d'influence en échange d'une quarantaine de roses et autres billets de spectacles ? avant qu'un maire ou l'autre s'étonne des agissements possiblement criminels des individus qui occupent les postes les plus cruciaux de son administration ?

Bien sûr, laissons d'abord les tribunaux juger avant de le faire nous-mêmes. Malgré le climat pourri actuel, reste que tout un chacun a droit, même au plus fort de la tempête, à la présomption d'innocence.

Enfin, au-delà des individus qui se verront condamnés ou non, reste qu'un système de corruption a été mis en place et opère depuis trop longtemps, juste sous nos yeux, en toute impunité, à force de complaisance. Vivement l'eau de Javel, ainsi qu'une prise de conscience collective. À moins que ce cirque ne mène à d'autres dérapages, juridiques cette fois.

La présomption de culpabilité

Montréal, Laval, Mascouche. Les maires des deux premières villes partent. Celui de la troisième s'accroche. Grogne populaire. *Le Journal de Montréal* et *La Presse* se mettent de la partie. Pressions classiques sur le gouvernement du Québec. Qu'attend ce dernier pour agir ? On réfléchit, réplique celui-ci par la voix de quelques ministres.

Ce n'est pas une mauvaise idée, surtout quand la colère populaire, alimentée par les chroniqueurs, ne demande qu'à voir des têtes rouler. Celles des élus, bien sûr.

Pendant ce temps, les rumeurs laissent envisager une solution des plus drastiques : destitution formelle de l'élu accusé au criminel. Et sans solde.

Vient finalement la réponse du gouvernement. Le temps de réflexion aura porté ses fruits et c'est tant mieux. Ce qui devait être le rouleau compresseur de la présomption d'innocence s'est en effet, et heureusement, transposé en instrument plus *soft*, plus équitable, plus nuancé. La *Loi permettant de relever provisoirement un élu municipal de ses fonctions*, présente un mécanisme aux paramètres clairs où l'électeur de la municipalité visée pourra s'adresser directement à la Cour supérieure. Il sera alors question de suspension provisoire – non de destitution – et les accusations auxquelles l'élu fera face devront avoir un lien avec ses fonctions. La peine minimale, dans l'optique d'une condamnation, sera de deux ans. Enfin, on demandera au tribunal de statuer si l'incapacité provisoire de l'élu se justifie par l'intérêt public, en fonction de la déconsidération de l'administration de la municipalité.

Alors le problème? S'il existe, disons que celui-ci réside davantage dans le sous-entendu que dans les mesures proposées, davantage dans l'intention que dans les actes. La place qu'occupe actuellement, dans nos sociétés hypermédiatisées, la présomption d'innocence. Le climat.

Lors d'un débat en classe de droit portant sur ce sujet, une étudiante s'exclame: «Mais monsieur, notre société a enterré la présomption d'innocence depuis longtemps!» Je suis resté bouche bée. Et si elle avait raison?

En effet, tous semblent avoir déjà conclu à la culpabilité des maires accusés au criminel, le gouvernement du Québec, l'Assemblée nationale, et les médias bien sûr. Et Yves Boisvert d'écrire dans sa chronique: «la loi québécoise, qui permet à certains maires de rire de leurs citoyens, a besoin d'être revue – le gouvernement Marois propose d'ailleurs d'utiles changements». On peut lire entre les lignes et constater le syllogisme suivant: le maire de Mascouche, accusé au criminel, se fiche de la gueule de ses citoyens parce qu'il est nécessairement... coupable. Autrement, en quoi manquerait-il de respect à ses électeurs en demeurant en poste? On me dira qu'un job de maire n'est pas un job régulier. Vrai. Qu'il implique un lien de confiance entre le détenteur de la charge publique et son électorat. Absolument. S'il se sait coupable, il va de soi que le maire accusé doit démissionner.

Mais s'il se savait innocent? Cette possibilité est-elle de facto exclue? La présomption de culpabilité aurait-elle remplacé celle d'innocence? Que, sous les conseils de son criminaliste, il ait décidé de conserver ses moyens de défense pour son procès et non pour *La Presse*? Qu'après précisions et explications, le tribunal décide finalement de l'acquitter des accusations pesant contre lui? Et s'il se sait innocent, pourquoi devrait-il démissionner aujourd'hui, soit avant la fin de son procès?

Contrairement à Yves Boisvert, j'ignore si le maire accusé est coupable. J'ignore également s'il est innocent. Je ne suis ni juge ni juré. J'ignore encore les preuves contre lui. Je ne les ai pas vues. Comme je n'essaierai pas de suggérer à un chirurgien comment opérer, je m'abstiendrai d'indiquer au tribunal comment juger.

Le ministre Gaudreault, responsable du projet de loi: «Je ne crois pas qu'on remette en question la présomption d'innocence, parce que l'élu accusé continuera de recevoir son salaire. » Vous m'en direz tant...

J'espérais un concept un peu plus riche, sans mauvais jeu de mots. Plus nuancé. Que la présomption d'innocence tienne à autre chose qu'une simple considération pécuniaire. Que celle-ci puisse servir de rempart contre les erreurs policières, de bonne ou de mauvaise foi. Idem pour celles des procureurs de la Couronne. Que l'affaire Coffin[2] ait servi de leçon.

Qu'entend le ministre lorsqu'il requiert de la Cour supérieure le soin de déterminer si une administration municipale est « déconsidérée » du fait de

2. L'affaire Coffin renvoie à la condamnation de Wilbert Coffin, un prospecteur gaspésien, pour le meurtre de trois chasseurs américains. Coffin a été pendu en février 1956 à la suite d'une longue saga judiciaire. Malgré les circonstances incriminantes relevées par le procureur, il n'y avait aucune preuve directe : aucun témoin du meurtre et aucune arme retrouvée. De plus, de nombreuses irrégularités ont entaché la procédure, dont la plus importante est sans doute le fait que la chambre du jury, où celui-ci doit se retirer au besoin, était une pièce attenante à la salle du procès, d'où l'on pouvait tout entendre de ce qui se disait dans celle-ci. La condamnation de Coffin a été portée en appel jusqu'à la Cour suprême du Canada, qui a confirmé les décisions antérieures. Une Commission royale d'enquête a été instituée en 1964 pour éclaircir l'affaire et a conclu que le procès s'était déroulé dans les normes du droit de l'époque et que l'accusé avait eu un procès juste. En 2006, le gouvernement fédéral a annoncé la réouverture du dossier ; un comité de révision des condamnations criminelles doit examiner l'affaire pour déterminer si Coffin a été victime d'une erreur judiciaire. Cette affaire retentissante qui s'est déroulée au Québec a beaucoup contribué à la lutte pour l'abolition de la peine de mort au pays.

simples accusations ? Quelle sera la preuve soumise ? La grogne des citoyens, le poing en l'air, au conseil municipal ? Un reportage dans les médias sur des rénovations dans la maison du maire, effectuées par un entrepreneur possiblement de connivence ?

Il est évidemment facile de comprendre la nécessité d'assurer la saine gestion de l'administration publique, notamment municipale. L'objet de la loi est noble. Mais existe-t-il un lien rationnel entre ce même objectif et la mesure mise en place ? N'est-il pas évident que toute accusation criminelle en rapport avec les fonctions de l'élu en viendra à déconsidérer l'administration municipale ? Ainsi, pourquoi ne pas avoir préféré le terme « administration paralysée », par exemple ? Formulation déjà prévue pour placer une municipalité sous tutelle ; le concept de paralysie a au moins le mérite de viser le cœur du problème, soit celui d'une saine gestion publique.

Et malgré le cirque entourant l'affaire Marcotte, maire de Mascouche, le conseil municipal aurait continué de siéger et de fournir les services de base aux citoyens, du moins selon *La Presse*. Optimale, comme situation ? Bien sûr que non. Mais combien de municipalités ont dû procéder ainsi, disons dans les cinquante dernières années ? Était-il vraiment nécessaire d'élaborer une loi mettant à mal la présomption d'innocence pour le cas particulier d'un seul maire, dont la vie politique s'éteindra de toute manière aux prochaines élections ?

Dernière petite question pour monsieur le ministre : pourquoi alors ne pas accorder à la volonté citoyenne le pouvoir d'entreprendre ce même type de recours contre les élus de l'Assemblée nationale ? Et oui, pourquoi pas...

La *Loi permettant de relever provisoirement un élu municipal de ses fonctions*

Voici quelques éléments de cette loi adoptée par l'Assemblée nationale le 28 mars 2013 :

- La requête afin de relever l'élu de ses fonctions peut être présentée par la municipalité, par tout électeur de celle-ci ou par le Procureur général du Québec.
- Pour évaluer si l'intérêt public justifie le relèvement temporaire de l'élu municipal, la Cour tient compte du lien entre l'infraction alléguée et l'exercice des fonctions de membre du conseil. De plus, pour justifier la suspension, la possibilité du maintien en poste de l'élu devrait être de nature à déconsidérer l'administration de la municipalité.
- Le jugement de la Cour supérieure n'est pas susceptible d'appel.
- Toutefois, la Cour ne peut prononcer l'incapacité provisoire du membre du conseil si la requête est fondée sur une poursuite intentée avant le jour du scrutin de la plus récente

élection pour laquelle il a été proclamé élu ou déclaré élu sans opposition.

En vertu de la *Loi permettant de relever provisoirement un élu municipal de ses fonctions*, une citoyenne a fait déclarer incapable Michel Lavoie, le maire de Saint-Rémi. L'accusé Lavoie plaidait que le lien entre les accusations et ses fonctions était trop ténu, que l'administration de la justice n'en était pas déconsidérée et, finalement, que la loi était inconstitutionnelle en raison de son imprécision. Le tribunal a balayé du revers de la main les arguments du défendeur. Les chefs d'accusation (abus de confiance, fraude et complot) avaient un lien direct avec la fonction de maire que M. Lavoie occupait et faisaient douter de ses valeurs morales, valeurs essentielles à un maire. Finalement, l'objectif de celle-ci (intégrité et probité, principalement), de même que les formulations de la loi encadraient suffisamment bien les citoyens pour que ceux-ci ne soient pas touchés par l'imprécision et risquent une décision judiciaire arbitraire. Le tribunal fut implacable : « [...] une personne raisonnable, objective et bien informée n'accepterait pas que le défendeur [Lavoie] demeure en fonction. Son maintien déconsidérerait l'administration de la municipalité ».

Populisme et poursuites bidon

La CAQ de François Legault souhaite un remboursement des sommes prétendument « volées à l'État » par plusieurs entreprises du domaine de la construction. La méthode ? Apparemment simple : convaincre le gouvernement Marois, avec une pétition, d'entreprendre les poursuites civiles envers ces sociétés fautives, celles qui auraient admis leurs torts devant la Commission Charbonneau, directement ou par personnes interposées.

Bon. Difficile évidemment d'être contre la vertu. Impossible d'approuver le *modus operandi* à saveur criminelle qui semble s'être greffé aux institutions publiques, notamment municipales. Impossible de refuser le remboursement des sommes dont des entreprises ou leurs dirigeants auraient profité pendant trop d'années, par suite des largesses ou de l'aveuglement volontaire d'un gouvernement et d'un corps policier apparemment ankylosés.

Surfant sur ces sentiments, l'opération caquiste se fonde néanmoins sur certains préceptes d'une légalité douteuse. Doit-on rappeler à M. Legault et à l'ex-policier Duchesneau l'une des conditions à la base des témoignages devant la Commission Charbonneau, soit l'immunité des témoins ? Cette immunité, qu'on le veuille ou non, n'est pas à degré variable, mais bien complète. En bref, il est impossible de poursuivre sur la seule base du témoignage apporté. Voilà qui plomberait joyeusement la valeur d'une requête en dommages.

Dans la même veine, notons que la quasi-totalité des éléments incriminants est, à cette étape, reliée aux institutions municipales et non aux ministères québécois. Ma question : comment le gouvernement pourra-t-il poursuivre en dommages au nom des municipalités ? On comprend que celles-ci sont des organismes créés par la province, mais il reste qu'elles possèdent une personnalité juridique propre.

Autre point : on connaît déjà l'excitation médiatique autour de tout nouveau témoignage d'une crapule réelle ou présumée, surtout si celle-ci réussit à tourner les projecteurs sur autrui. La formule est aussi simple qu'éprouvée : il suffit de balancer quelques allégations sur une personnalité plus connue que soi afin de s'en tirer indemne ou presque. Les illustrations pleuvent : Dumont qui balance Tremblay, Cloutier qui balance Chevrette, Bertrand qui balance Duplessis, etc. À la moindre révélation, les journalistes se jettent ainsi aux trousses du nouvel incriminé, tels des chiens après un os.

Mais qui attestera de la validité de ces témoignages ? Qui pourra jurer de leur pertinence et de leur véracité ? De leur valeur légale ? Nombreux sont ceux qui, salis abondamment par un ancien-tout-croche-devenu-gentil-aux-yeux-du-public-et-applaudi-à-*Tout-le-monde-en-parle*, ont nié les allégations les concernant.

Et s'ils avaient raison ? S'ils étaient effectivement non coupables ? Au risque de me répéter, n'oublions pas la présomption d'innocence. Restent donc les tribunaux. À l'abri des pressions populistes et de leurs tendances cannibales, ceux-ci devraient distinguer le vrai du faux et, selon toute vraisemblance, mettre la hache dans maintes poursuites bidon qui pourraient être entamées par le gouvernement.

Si bien sûr celui-ci devait tomber dans le piège caquiste.

LES RÉFÉRENDUMS D'INITIATIVE POPULAIRE

Conséquence de la crise interne qui frappe actuellement le Parti québécois, maintes avenues sont proposées afin d'établir une « nouvelle culture politique ». La pierre angulaire de celle-ci : le référendum d'initiative populaire, par lequel il serait possible de remettre la politique au monde. Dans tous les sens du terme.

Rappelons qu'un référendum d'initiative populaire se caractérise par le fait qu'il a pour origine une pétition ayant recueilli les signatures d'un certain nombre d'électeurs et appelle le peuple à voter sur une proposition de loi. Les autres référendums sont généralement à l'initiative des institutions, mais rien n'empêche les deux types de référendums de cohabiter.

Dilemme et appréhension. Il serait en effet difficile de s'opposer à la volonté populaire, pièce maîtresse de la démocratie, mais il est impossible d'ignorer le cynisme ambiant envers l'appareil politique. Quelle appréhension alors ? Celle de Tocqueville : « Je regarde comme impie et détestable cette maxime, qu'en matière de gouvernement la majorité d'un peuple a le droit de tout faire, et pourtant je place dans les volontés de la majorité l'origine de tous les pouvoirs. Suis-je en contradiction avec moi-même ? »

En bref, la crainte de toute forme de régime obnubilé par la règle de la majorité. À mon sens, la démocratie doit transcender le concept de la simple volonté du plus grand nombre. Trop fréquemment associée aux traumatismes sociopolitiques du dernier siècle, cette vision de la démocratie apparaît à la fois désuète et, au demeurant, plutôt réductrice.

De toute évidence, et comme l'histoire récente le démontre, toute démocratie doit être fondée sur l'État de droit, sous peine de courir directement à sa perte. Certains répondront que rien n'empêche les deux concepts de cohabiter. On nous servira notamment l'exemple de la Suisse. Le 1er mai 2007, seize personnalités politiques suisses ont lancé une initiative populaire qui proposait d'ajouter à la constitution fédérale que « la construction de minarets[1] est interdite ». En juillet 2008, 114 137 signatures ont été déposées à la Chancellerie fédérale. Le Conseil fédéral a appelé la population à rejeter le texte, car

1. Le minaret est un élément architectural des mosquées. Il s'agit généralement d'une tour élevée dépassant tous les autres bâtiments. Son but est notamment de fournir un point élevé pour les 5 appels quotidiens à la prière. L'islam est la troisième religion en importance en Suisse (4.3 % de la population).

il s'agissait d'une limite trop importante à la liberté des musulmans de professer leur croyance en public, incompatible avec les valeurs d'une société libre et démocratique. En novembre 2009, alors que les sondages prédisaient le rejet de l'initiative, celle-ci a été acceptée à la double majorité du peuple (57,5 % de votes favorables) et des cantons (19,5 cantons sur 23), mais avec un taux d'abstention de 46,24 %. L'interdiction de construire des minarets était désormais inscrite dans la constitution. Mais peut-on conclure que cette interdiction constitue une illustration du respect des libertés religieuses et, par extension, du droit des minorités ? La réponse est évidemment non.

Malgré sa valeur indéniable sur le plan politique, l'exercice référendaire ne peut prétendre à un impact juridique direct (*Renvoi relatif à la sécession du Québec*[2]). Évidemment, la classe dirigeante aurait

2. Le *Renvoi relatif à la sécession du Québec* a été rendu par la Cour suprême du Canada en 1998, à la suite du référendum de 1995 sur la souveraineté du Québec. Dans cette décision, la Cour a notamment conclu que la sécession du Québec ne serait pas légale, en droit canadien, si elle résultait d'un acte unilatéral de la province sans négociations conformes aux principes sous-jacents à la Constitution canadienne, soit le fédéralisme, la démocratie, le constitutionnalisme et la primauté du droit, ainsi que le respect des minorités. En contrepartie, l'expression d'une majorité claire de Québécois de leur désir de ne plus faire partie du Canada entraînerait nécessairement l'obligation pour les autres membres de la fédération d'ouvrir des négociations. « Ces négociateurs devraient envisager la possibilité d'une sécession, sans qu'il y ait toutefois de droit absolu à la sécession ni certitude qu'il

du mal à nier la volonté populaire exprimée par voie référendaire et, par conséquent, à ne pas y donner suite. Sauf que rien ne l'y oblige.

Prenons le cas hypothétique suivant : un référendum d'initiative populaire est déclenché à l'échelle fédérale quant au rétablissement de la peine de mort. Les tenants du OUI l'emportent aisément. Séduit par la perspective de gains électoraux, le gouvernement fait rapidement adopter un amendement au Code criminel. Celui-ci est-il constitutionnellement valide ? À la lumière de la jurisprudence de la Cour suprême en la matière, rien n'est moins certain (arrêt Burns[3]). En fait, il semble plutôt que la

sera réellement possible de parvenir à un accord conciliant tous les droits et toutes les obligations en jeu. »

3. Dans l'arrêt *États-Unis c. Burns*, en 2001, la Cour suprême s'est penchée sur le cas de deux citoyens canadiens recherchés aux États-Unis pour meurtre, et revenus au Canada. Ils ont finalement été arrêtés et les autorités américaines ont entamé des procédures en vue d'obtenir leur extradition. S'ils étaient déclarés coupables aux États-Unis, les intimés étaient passibles de la peine de mort ou de l'emprisonnement à perpétuité sans possibilité de libération conditionnelle. Le ministre de la Justice du Canada a ordonné leur extradition conformément à la Loi sur l'extradition sans demander aux États-Unis, en vertu du traité d'extradition entre les deux pays, des assurances que la peine de mort ne serait pas infligée ou que, si elle l'était, elle ne serait pas appliquée. La Cour suprême du Canada a affirmé que la Charte canadienne des droits et libertés ne conférait pas à la Cour le mandat général d'établir la politique étrangère du Canada en matière d'extradition. Cependant, « la Cour est le gardien de la Constitution et les affaires de peine de mort sont liées à des valeurs constitutionnelles fondamentales de façon exceptionnelle ». Ainsi, la Cour suprême a conclu que l'extradition des intimés sans les

réinstauration de la peine de mort serait répudiée par les tribunaux, lesquels ne sont nullement liés par le vote référendaire.

Alors de deux choses l'une :

1) le gouvernement se refuse à utiliser la clause dérogatoire[4] et à se plier à la volonté populaire, creusant davantage le fossé entre le peuple et ses institutions, voire ses élites ;
2) la pression populaire pousse le gouvernement à faire sienne la clause dérogatoire, créant dès lors une entorse fatale (sans jeu de mots) aux garanties constitutionnelles en matière de droit à la vie, prévues expressément par la Constitution.

Tout régime qui se respecte a su assurer la pérennité de son mode démocratique par l'établissement d'assises constitutionnelles solides, écrites ou non. Fondée sur la primauté du droit, la démocratie prend un sens différent, un sens plus riche. Celui

assurances prévues violait leur droit à la vie, à la liberté et à la sécurité, et que cette violation ne pouvait être justifiée au regard de l'article premier de la Charte. La Cour a précisé que sauf lors de cas exceptionnels, le ministre est tenu par la Constitution de demander et d'obtenir, comme condition d'extradition, l'assurance que la peine de mort ne sera pas infligée.

4. La clause dite « dérogatoire » (ou « clause nonobstant ») est prévue à l'article 33 de la Charte canadienne des droits et libertés. Elle permet au Parlement ou à une législature d'une province d'adopter une loi violant un droit prévu aux articles 2 ou 7 à 15 de la Charte, s'il est expressément déclaré que celle-ci ou une de ses dispositions a effet indépendamment de la Charte.

où la majorité, par frustration ou par populisme, ne peut permettre la violation des garanties constitutionnelles visant justement à protéger les minorités des affres des passions populaires et autres poussées démagogiques. Bref, de la tyrannie de la majorité.

L'AUTO-PENDAISON

« Vous savez, les Shafia[1], les trois qui seront emprisonnés vont coûter 10 millions à l'État québécois, à l'État canadien. Il y a un problème économique là aussi, lorsque les 10 millions, on ne les met pas ailleurs [...] il faudrait que chaque assassin aurait [*sic*] droit à sa corde dans sa cellule pour décider de sa vie. »

Du joli, non ? Davantage encore lorsqu'on se rappelle que le contexte de la déclaration maladroite du sénateur Boisvenu, ô ironie, visait à confirmer que le premier ministre Harper n'avait aucune intention de rouvrir le débat sur la peine de mort. Si monsieur le sénateur avait voulu, adroitement ou non, provoquer le contraire, impossible d'imaginer mieux.

Cette déclaration a été faite le 1er février 2012 par M. Boisvenu à son arrivée au caucus du Parti

1. En juin 2009, les sœurs Zainab (19 ans), Sahar (17 ans) et Geeti Shafia (13 ans), filles de Mohamed Shafia et Tooba Mohamed Yahya, ainsi que Rona Amir Mohamed (50 ans), première femme de M. Shafia, ont été retrouvées mortes noyées dans une voiture dans le canal Rideau. Le couple et leur fils Hamed (20 ans) ont été arrêtés et accusés de meurtres au premier degré. En janvier 2012, ils ont tous trois été reconnus coupables de meurtres prémédités et condamnés à la prison à vie sans possibilité de libération avant 25 ans.

conservateur, alors qu'il était interrogé sur l'initiative de Stephen Woodworth, député conservateur ontarien, qui proposait la création d'un comité parlementaire chargé de déterminer le moment où un fœtus devient un être humain (comité qui, par le fait même, remettait pernicieusement en jeu le droit à l'avortement).

Boisvenu a répondu que le gouvernement ne souhaitait pas rouvrir ce débat, pas plus qu'il n'avait l'intention de débattre de la peine de mort, malgré le fait que 60 % des Québécois se disent favorables à la réinstauration de cette sanction pénale.

Plusieurs éléments méritent d'être ici considérés.

D'abord, la déclaration en cause n'est pas simplement maladroite, elle est morbide, revancharde et peut-être même illégale. À son article 241, le Code criminel prévoit que: « Est coupable d'un acte criminel et passible d'un emprisonnement maximal de quatorze ans quiconque, selon le cas:

a) conseille à une personne de se donner la mort;
b) aide ou encourage quelqu'un à se donner la mort, que le suicide s'ensuive ou non. »

N'est-ce pas l'essence même du propos du sénateur Boisvenu?

Deuxièmement, comment fait-il pour conclure, de son siège de sénateur, à l'impossibilité de réhabiliter les Shafia? Psychiatre à temps perdu, maintenant?

Troisièmement, a-t-on avisé le sénateur des coûts reliés à la mise en place de la peine capitale? Pour sa gouverne, plusieurs États américains songent actuellement à abolir la pratique : moratoire en Oregon, débats législatifs dans neuf États, abolition pure et simple en Illinois. Les motifs ? Les coûts, justement[2].

Le sénateur Boisvenu est allé à la rencontre des journalistes peu après sa déclaration choc pour affirmer qu'il n'aurait « pas dû faire une telle déclaration publiquement et qu'il était allé *un peu* loin ».

Il s'est finalement partiellement rétracté et a présenté ses excuses pour ses propos, persistant toutefois en déclarant que les meurtriers irrécupérables devraient avoir le choix de se suicider en prison. Il a justifié cette position par le fait qu'une majorité de Québécois se montrait favorable à la peine de mort. « Le terme de la corde n'était peut-être pas approprié. Je dirais, on devrait peut-être laisser à ces criminels-là le libre choix entre être incarcérés toute leur vie ou pouvoir disposer de leur vie. » (En entrevue au *Téléjournal* de Radio-Canada.)

Que le sénateur considère avoir dû tenir ses propos en privé et non en public, ne fait qu'offrir une preuve supplémentaire de son manque de jugement. Et pourquoi donc ? Parce que, fort malheureusement, le sénateur n'est plus un citoyen ordinaire : il

2. S'ajoutent également des préoccupations relatives au nombre inquiétant d'erreurs judiciaires, évidemment. Comme disait Victor Hugo : « La peine irréparable suppose un juge infaillible. » Toujours selon Hugo, la peine de mort demeure « la plus irréparable des peines irréparables ».

est le responsable gouvernemental au Sénat des questions afférentes à la Justice. Le problème ne réside pas seulement dans les propos, il est dans le simple fait de les penser, et on appréciera aussi qu'ils soient exprimés quelques jours avant la Semaine de prévention du suicide.

Enfin, les défenseurs du sénateur plaident que l'on doit analyser la teneur de ses propos à la lumière de son expérience personnelle, éprouvante, il va de soi. Il s'agit précisément de l'endroit où le bât blesse.

Petit rappel pour ceux qui l'ignoreraient: Pierre-Hugues Boisvenu a été nommé sénateur en janvier 2010 par le gouvernement conservateur de Stephen Harper. En juin 2002, la fille de M. Boisvenu, Julie, avait été enlevée, violée et assassinée par un récidiviste, tandis que son autre fille, Isabelle, a été victime d'un accident de la route en 2005. M. Boisvenu a fondé l'Association des familles de personnes assassinées ou disparues (AFPAD) suite au meurtre de sa fille Julie. Il est aussi cofondateur du centre Le Nid, un refuge pour les femmes abusées à Val d'Or.

Pourquoi le sénateur a-t-il accédé à ses fonctions? Parce que, du fait de la tragédie vécue, justement, il devenait le candidat de choix pour être le porte-étendard des politiques conservatrices en matière criminelle, et ce, dans tout ce que celles-ci ont de plus passéistes: abolition du registre des armes à feu et refus de transférer ses données aux provinces, durcissement des peines, punition plutôt que réhabilitation. J'en passe.

Brillant stratège, M. Harper savait très bien ce qu'il faisait en nommant le sénateur à ce poste névralgique : utiliser ce dernier, et surtout son histoire, à des fins politiques.

En réponse aux nombreuses réactions à la déclaration de M. Boisvenu sur les cordes en cellule, le gouvernement a d'ailleurs déclaré, par la bouche de son ex-ministre des Anciens Combattants, Steven Blaney : « C'est un manque de compassion envers le père d'une victime d'un acte odieux. Vous savez comme moi ce qui est arrivé à la fille du sénateur. »

Évidemment.

LES ÉLECTIONS À DATE FIXE

En juin 2012, c'était un secret de Polichinelle: les prochaines élections provinciales devaient être déclenchées... la semaine suivante. Oui, en plein milieu de l'été. Pendant les vacances de la construction. Quand la majeure partie de l'électorat a davantage la tête au soleil qu'aux joutes politiciennes.

Remarquons que le premier ministre Charest, seul maître à bord pour le déclenchement, refusait de confirmer la plus-que-rumeur. Comme il le disait si bien: « Le mois de juillet est fait pour se reposer. » Soit. Mais le mois d'août, lui?

Quiconque avait suivi de près la carrière politique de notre premier ministre savait très bien que ce dernier entrait alors dans la phase de ses fonctions qui l'excite le plus: le calcul électoral. Comment débobiner l'adversaire, le prendre par surprise, le faire dérailler à grands coups de caricatures manichéennes (quiconque porte le carré rouge encourage la désobéissance civile, par exemple). S'assurer du pouvoir, quoi. Après? On verra.

On savait le premier ministre calculateur. Cynique aussi, par la force des choses. Sauf que ces élections estivales venaient rappeler à quel point le cynisme est un puissant antidote pour s'assurer l'apathie populaire et, du coup, le désintéressement citoyen. Le grand gagnant ? Le gouvernement en place, bien sûr.

Nul besoin d'être très malin pour comprendre la stratégie Charest, laquelle se basait sur l'indifférence et l'absentéisme électoral afin d'assurer ses arrières :

- une élection au mois d'août passe assurément sous le radar, et s'amenuise nécessairement la portée des débats sur le bilan gouvernemental. On passerait aussi discrètement que possible sur les controverses au sujet des gaz de schiste, sur les accusations contre le ministre Tomassi et autres organisateurs libéraux, sur les retombées réelles du Plan Nord. Sur le mémorable conflit étudiant aussi, bien sûr, et sur la loi 12 qui en découle ;
- une élection tout juste avant l'envol de la Commission Charbonneau ? Pratique. Pour ne pas dire impératif ;
- une campagne électorale pendant laquelle le gouvernement avait tout à craindre de la mobilisation étudiante ? Oui. Sauf qu'un vote aussi précipité permettait de croire que bon nombre d'étudiants n'auraient pas eu le temps d'effectuer, en plein été, leur changement d'adresse auprès du Directeur général des élections. Surtout que plusieurs

d'entre eux viendraient tout juste d'arriver dans les centres urbains pour leurs études. Pas trop propice aux devoirs citoyens, on en convient.

En bref, le seul éventuel bénéficiaire de cette stratégie électorale était son parrain : le PLQ. Et ce fut pour rien, le Parti québécois formant finalement un gouvernement minoritaire depuis le 4 septembre 2012. L'autre grand gagnant ? Le cynisme ambiant, justement. Parce que si personne n'est dupe du calcul libéral, il est difficile tout de même d'en éviter les conséquences. Et lorsque l'impression de se faire berner se juxtapose à celle d'impuissance, en résulte invariablement l'indifférence populaire, due au découragement. A-t-on réellement le gouvernement qu'on mérite, comme le veut l'adage ? Possible. Mais avouons néanmoins que ceux-ci sont parfois fort habiles dans l'art d'assurer leur pérennité, machiavélisme à l'appui.

L'option des élections à date fixe

Je n'ai jamais été un grand fan de cette avenue, et ce, pour deux raisons. *Primo*, celle-ci m'a toujours semblé représenter un courant quelque peu populiste, voire simpliste, une autre illustration de cette propension à imiter systématiquement ce qui se fait au sud de la frontière. *Secundo*, notre régime parlementaire étant celui de Westminster, où l'Exécutif tient en état le Législatif et vice-versa[1], du moins en théorie, il apparaît que la solution proposée a plutôt l'air d'un chien dans un jeu de quilles.

Ironiquement, seul le gouvernement Charest m'a presque convaincu du contraire. D'abord pour les raisons qui précèdent. Ensuite par sa propre position sur le sujet. En effet, le premier ministre est contre cette option, car des élections à dates fixes équivaudraient à 12-18 mois de campagne, le gouvernement en place visant dès lors seulement à assurer sa réélection.

Cependant, c'est ce que fait déjà tout gouvernement en place, saupoudrant dans les comtés qui l'intéressent des subventions et des annonces. La différence ? Seul le premier ministre est maître de l'agenda et donc, des règles du jeu. Il est alors drôlement plus facile de déstabiliser l'adversaire, de le prendre par surprise, de l'empêcher de s'organiser adéquatement et d'assurer son financement. Il

1. Le concept de « gouvernement responsable » désigne la redevabilité du gouvernement envers sa population dans plusieurs pays de monarchie constitutionnelle. En pratique, cela signifie que si les ministres perdent la confiance de la Chambre (donc des élus, représentant le peuple), ils doivent démissionner en bloc, et de nouvelles élections doivent avoir lieu. Ce concept a été développé au Royaume-Uni au XVIe siècle par Robert Walpole, qui fut le premier à le mettre en pratique lorsqu'il démissionna avec les autres membres de son cabinet après avoir perdu la confiance de la Chambre. Au Canada-Uni, le gouvernement responsable a été accordé par Londres en 1848. L'Exécutif, pour sa part, tient en état le Législatif dans l'optique où il est le seul maître du déclenchement des élections.

est plus à même également d'attirer des candidats vedettes, lesquels refuseraient d'être à la merci d'une élection trop incertaine et de mettre en veilleuse inutilement une autre carrière souvent fructueuse.

Ceci est d'ailleurs confirmé par le fait que la majeure partie des provinces canadiennes ont remédié à la situation en adoptant des lois prévoyant des élections à date fixe. Idem pour le fédéral. Évidemment, les limites fonctionnelles imposées par Westminster à cette option demeurent : impossible d'empêcher l'Opposition de renverser l'Exécutif, heureusement d'ailleurs, le principe du gouvernement responsable constituant toujours une pièce maîtresse de notre régime. Ainsi, cela permet à ce même gouvernement de profiter de son statut minoritaire pour violer sa propre loi, comme le fit d'ailleurs récemment le cabinet Harper.

Cela dit, il paraît qu'entre deux maux, il faut choisir le moindre. À voir les tactiques machiavéliques d'un politicien plus sensible aux questions partisanes qu'à ses fonctions de gestionnaire de l'État, je choisis donc l'option suivante : celle de limiter un pouvoir discrétionnaire utilisé à grands coups de cynisme aussi culotté que désolant.

LOI, NATIONALISME ET DRAPEAU

En septembre 2011, le ministre du Patrimoine, James Moore, endossait un projet de loi intitulé *Projet de Loi sur le drapeau national du Canada*. Selon son préambule : « Le drapeau canadien symbolise l'unité nationale, représente la liberté, la démocratie, le courage et la justice, principes qui constituent les fondements de notre grand pays. Le drapeau canadien représente la fierté que nous inspire notre grand pays et témoigne du soutien que nous vouons à ceux qui sacrifient leur vie pour lui. Il représente également l'ensemble des citoyens du Canada. »

Il est évidemment possible de se questionner sur la véracité de ce préambule mais, tout compte fait, celui-ci ne détonne en rien des lubies nationalistes ou patriotiques traditionnelles. Le plus meilleur pays du monde, comme disait un ancien premier ministre.

Le contenu du projet de loi, maintenant : « Nul ne peut empêcher quiconque de déployer le drapeau national, pourvu que celui-ci : a) soit déployé d'une manière convenant à sa qualité d'emblème national ;

b) ne soit pas déployé à des fins inappropriées ; c) ne fasse pas l'objet de profanation. »

Un nouveau paradigme fait ici son apparition : loi et nationalisme. C'est dangereux. La juxtaposition de ces deux concepts ayant historiquement provoqué des dérapages marquants, elle a de quoi inquiéter. Au premier rang de ces préoccupations, les angoisses constitutionnelles.

D'abord, le caractère vague et imprécis du projet de loi. Il est vrai que nul n'est censé ignorer la loi. Mais encore faut-il que la portée de celle-ci se définisse de manière claire, et que le justiciable s'y voit servir un avertissement raisonnable. Et comment définir judiciairement les paramètres entourant le déploiement du drapeau ? Pas simple.

Par exemple, que constitue « une fin inappropriée » de l'usage du drapeau ? Nul besoin d'être grand visionnaire pour voir arriver de loin les cas les plus loufoques. Certains ont même déjà avancé des cas précis : napperons, tapis de douche ou sièges de toilette à l'effigie de l'unifolié. Ces usages de l'emblème national impliqueraient donc, grand paradoxe, que les boutiques touristiques souhaitant promouvoir le drapeau canadien pourraient se voir interdire (par la police montée ?) la commercialisation de ces items. Douce ironie. En matière pénale, toute disposition de nature vague et imprécise mène immanquablement à des abus policiers, de bonne ou de mauvaise foi, n'est-ce pas ? Difficile d'y échapper ici.

Sans oublier, bien sûr, la portée excessive de la loi et le partage des compétences. Le citoyen visant à afficher son enthousiasme patriotique au grand désarroi de son voisinage pourra invoquer les dispositions de la loi afin de porter plainte, en bonne et due forme, contre quiconque lui demanderait de réduire ses ardeurs nationalistes. L'incitant à décrocher son drapeau d'une taille démesurée, par exemple.

On peut se demander si la réglementation municipale relative au droit de propriété devra alors céder le pas à la nouvelle *Loi sur le drapeau national.* Idem pour le Code civil du Québec, notamment pour ce qui concerne les troubles de voisinage. Problématique de partage des compétences ? Bien possible.

Ensuite, les pénalités prévues. Injonction, amende et emprisonnement. Vraiment ? Une peine d'emprisonnement pour un type qui tenterait d'en empêcher un autre de sortir son drapeau ? Et où est tracée la ligne entre le comportement entraînant une amende et celui menant à l'emprisonnement ? Et dans les cas de récidive ? On pourrait possiblement tenter d'attaquer la constitutionnalité de cette loi sous la lumière de l'article 12 de la Charte canadienne des droits et libertés, protégeant tout citoyen canadien contre tous traitements ou peines cruelles ou inusitées. Ce droit fondamental offre évidemment, entre autres, un recours légal contre l'utilisation de la torture physique ou psychologique ou encore l'imposition d'une peine arbitraire. À n'en pas douter, la peine d'emprisonnement pour l'exposition d'un drapeau pourrait sans conteste être qualifiée de peine inusitée injustifiée et donc, injustifiable.

Enfin, la liberté d'expression. Assisterait-on ici à la consécration d'un crime à saveur idéologique ? Le gouvernement Harper peut-il concevoir qu'un citoyen, souverainiste québécois par exemple, ne s'entiche peu ou pas du drapeau canadien ? Doit-on impérativement carburer aux paradigmes nationalistes ? Qu'en est-il du respect de la dissidence, pourtant intrinsèque à l'État de droit moderne ?

On me dira que le projet de loi envisagé n'aura finalement jamais vu le jour sous sa forme originelle, la *Loi concernant le drapeau national du Canada* stipulant candidement que « tous les Canadiens sont encouragés à déployer fièrement le drapeau national du Canada conformément à l'étiquette du drapeau ». Quand même. Que dit le proverbe, déjà ? Honni soit qui mal y pense ?

Partie III

Séparation des pouvoirs, puissance publique et respect de la Constitution

UN GÂCHIS INTITULÉ KYOTO

Janvier 2012. Daniel Turp et Julius Grey déposent une requête en Cour fédérale visant à contester le retrait du Canada du protocole de Kyoto. Comme il fallait s'y attendre – et c'était d'ailleurs probablement l'un des objectifs principaux de Me Grey et Me Turp – le simple dépôt de la procédure fait couler une quantité d'encre appréciable.

Petit rappel factuel : après avoir signé et ratifié le traité sous le gouvernement Chrétien, le Parlement adoptait en 2007 – cette fois sous le règne conservateur – la *Loi sur la mise en œuvre du protocole de Kyoto*. L'article 4 de cette loi engageait donc le gouvernement fédéral, lequel devait par ailleurs « veiller à ce que le Canada honore les engagements qu'il a pris en vertu du protocole de Kyoto ».

Que reste-t-il aujourd'hui de ces engagements ? Plus rien. Zéro. Nada. Le 12 décembre 2011, le ministre de l'Environnement, Peter Kent, annonçait le retrait pur et simple du Canada dudit protocole, décision évidemment sans appel.

Les motifs invoqués dans la requête de messieurs Turp et Grey en Cour fédérale ? Aussi simples qu'indispensables à notre régime constitutionnel et politique: la violation des principes de la primauté du droit, de la séparation des pouvoirs et de la démocratie.

Plus précisément, les requérants plaidaient, presque candidement, que la décision du ministre Kent allait « à l'encontre d'une loi du Parlement qui n'a pas été abrogée, qui est toujours en vigueur ». Sans farce. Non seulement la loi est claire sur son objet, mais elle l'est encore plus sur le fait que le gouvernement canadien, par définition, se doit d'assurer la mise en œuvre du protocole.

Alors comment ce même gouvernement peut-il se désister de ses propres engagements ? Et bien justement, il ne peut pas. Et pourquoi ? Justement du fait de la séparation des pouvoirs.

Aux dernières nouvelles, et n'en déplaise à M. Harper et à ses équipes, une dichotomie s'opère techniquement entre les pouvoirs exécutif et législatif. Une loi adoptée par ce dernier constitue une émanation de la souveraineté parlementaire. Et si une loi lie expressément le gouvernement, ce dernier s'y trouve assujetti. Voilà tout.

Cela dit, nul besoin d'être Montesquieu ou Locke pour prendre la mesure de la confusion des genres établie par le régime parlementaire britannique, évidemment importée au Canada. Pour respecter la ligne de parti, un gouvernement majoritaire en Chambre pourra contrôler à sa guise le menu législatif, lequel inclut à la fois l'adoption et l'abrogation des lois.

C'est d'ailleurs ce qui est arrivé dans le cas qui nous occupe : en juin 2012, quelques mois après le dépôt de la requête de MM. Grey et Turp, les conservateurs, majoritaires, ont ainsi abrogé par un simple vote en Chambre la loi qui posait problème. Procédure tout à fait légale.

Cela aurait pu mettre fin définitivement au recours du tandem Grey-Turp et à leurs nobles espoirs.

Mais, malgré l'abrogation de la loi, la Cour fédérale décida néanmoins d'entendre les prétentions des requérants au motif que « la loi doit être respectée par tous », incluant l'Exécutif. Nonobstant ceci, la Cour a tout de même conclu qu'une prérogative royale[1] faisait en sorte que le fédéral pouvait passer outre la *Loi de mise en œuvre du Protocole de Kyoto*, celle-ci ne prévoyant pas explicitement une limite au

1. La prérogative royale désigne les pouvoirs et les privilèges reconnus par la *common law* au monarque constitutionnel, et qui n'ont pas été abolis par une loi. C'est notamment le cas des affaires étrangères. Il s'agit donc de résidus de pouvoirs discrétionnaires. Au Canada, ce pouvoir est dévolu à la Couronne. L'approbation parlementaire n'est pas exigée pour l'exercice de la prérogative royale, mais inversement, le consentement de la Couronne doit être obtenu avant que le Parlement puisse discuter d'une loi touchant à ce pouvoir. Il ne s'agit pas pour autant d'un pouvoir illimité : toute décision de l'exécutif en vertu de la prérogative royale doit respecter les dispositions de la Charte canadienne des droits et libertés et se trouve ainsi susceptible de contrôle judiciaire.

pouvoir discrétionnaire du gouvernement en matière d'affaires étrangères. Qu'à cela ne tienne : Grey et Turp se tournent maintenant vers la Cour d'appel fédérale afin de renverser la décision initiale. Histoire à suivre.

Cette saga procédurale amène les questions suivantes : doit-on conclure que les recours entrepris étaient futiles, la loi ayant été finalement abrogée en bonne et due forme par la Chambre des communes ? Peut-être. Mais à tout prendre, je préfère croire, naïvement sans doute, qu'il est encore permis de se battre pour des idéaux, de défendre tant bien que mal des principes fondamentaux à toute vie sociétale libre et démocratique.

Régis Labeaume ou la personnalisation du pouvoir

Il semblait que tout avait été dit sur le maire de Québec. Populaire et populiste, il tapisse l'univers médiatique de ses coups de gueule. 80 % d'appuis dans les sondages, ce qui lui permettrait, selon lui, d'être seul maître à bord[1].

Mais M. Labeaume nous réserve toujours des surprises. En entrevue à la télévision, en décembre 2011, afin de défendre l'adoption de la loi 204 (validant l'entente entre Quebecor et la Ville de Québec) et surtout faire taire les critiques lui reprochant d'avoir éludé ses obligations légales, Labeaume tonne : « Le gouvernement, c'est pas mal souverain, ça ! » L'animateur de télé est ravi. Un coup de gueule excellent pour les cotes d'écoutes du réseau. Intervention opportuniste ? Bah...

1. En 2013, Régis Labeaume a été réélu maire de la Ville de Québec avec un appui se chiffrant à 74,2 % des voix. Son plus proche rival, M. David Lemelin, n'a obtenu que 24,03 % des suffrages. Notons qu'en 2009, le maire Labeaume l'avait emporté avec une écrasante majorité de 79,9 % de votes.

Je savais monsieur le maire capable de beaucoup de choses, mais j'ignorais qu'il pouvait créer de nouvelles notions de droit constitutionnel. Comme « la souveraineté du gouvernement », par exemple. La légitimité populaire et rien d'autre. Ah bon ! Que Montesquieu se le tienne pour dit, John Locke aussi, idem pour les défenseurs des droits de l'homme et autres empêcheurs de tourner en rond, notamment ceux qui croient à la primauté du droit et à la séparation des pouvoirs.

Anecdote sans grande importance, diront certains. D'un point de vue politico-concret, possible. Mais sur le plan politico-philosophique ? Pas si sûr. En fait, les propos de M. Labeaume reflètent une tendance pour le moins inquiétante quant au maintien ou non de concepts pourtant fondamentaux à toute société libérale. Voyons pourquoi.

Souverain, le gouvernement ? Dans le sens d'ultime décideur ? Comme lorsque Louis XIV affirmait sans trop d'humilité : « L'État, c'est moi ! » ? Comme lorsque Maurice Duplessis, achalé par des intellectuels lui reprochant son mépris de la loi et de la démocratie, rétorquait : « C'est moi le Cheuf ! » ?

Quiconque un tant soit peu au fait de l'histoire occidentale connaît les risques liés à la personnalisation du pouvoir. Ceci fait d'ailleurs partie des postulats de la séparation des pouvoirs proposée par les Lumières[2] et de la théorie classique de la primauté

2. « Les Lumières » renvoient à un mouvement culturel et philosophique, initié dans la deuxième moitié du XVIIe siècle en Europe.

du droit. Cette dernière repose d'ailleurs sur les quatre prémisses suivantes : a) toute émanation de la puissance publique doit être appuyée par la règle de droit ; b) la loi est applicable à tous, c'est-à-dire également à l'État ; c) le respect de la hiérarchie des normes ; d) les actions de l'État sont donc assujetties au contrôle des tribunaux.

Théories désuètes ? Aucunement. Le respect de la séparation des pouvoirs et de la primauté du droit permet, entre autres choses, d'éviter les dérapages du politique, le mépris du parlementarisme, la persécution religieuse, et autres affres de l'absolutisme.

La séparation des pouvoirs évite notamment à M. Duplessis de révoquer un permis de restauration au motif que son propriétaire refuse de contribuer à la caisse de l'Union nationale et qu'il paye la caution de Témoins de Jéhovah incarcérés pour convictions religieuses. En fait, le règne de Maurice Duplessis comme premier ministre du Québec n'a pas été qualifié de période de « Grande Noirceur » sans raison. À la fois premier ministre et procureur général du Québec, il avait fait révoquer le permis de vente d'alcool de Frank Roncarelli, un restaurateur montréalais qui payait les cautionnements de Témoins de Jéhovah harcelés et arrêtés pour une supposée propagande anticatholique.

Ses membres (Spinoza, Locke, entre autres) combattaient l'oppression, l'arbitraire et l'irrationnel, et leurs écrits ont notamment influencé la Déclaration d'indépendance des États-Unis et la Révolution française.

La Cour suprême a ordonné à M. Duplessis de verser personnellement des dommages et intérêts à Roncarelli, aucune disposition législative ne lui donnant le pouvoir de révoquer ce permis. La Cour rappelait ainsi que le principe de primauté du droit s'applique à tous, même au premier ministre.

La séparation des pouvoirs empêche également les policiers de réaliser leur *wet dream* le plus fou en arrêtant sans mandat plusieurs centaines de citoyens, après avoir perquisitionné leurs domiciles, simplement parce qu'ils sont soupçonnés de sympathies felquistes. Rappelons en effet que lors de la tristement célèbre Crise d'octobre en 1970 – au cours de laquelle des membres du FLQ ont enlevé un commissaire britannique et le vice-premier ministre du Québec – la *Loi sur les mesures de guerre* a été décrétée par le premier ministre du Canada (Pierre Elliott Trudeau), à la demande du premier ministre du Québec (Robert Bourassa) et du maire de Montréal (Jean Drapeau). Cette loi a mené à l'arrestation de près de 500 personnes, dont bon nombre l'ont été sans raison et de manière cavalière, et ce, sous l'autorité du ministre de la Justice du Québec (Jérôme Choquette).

Enfin, la séparation des pouvoirs empêche un maire d'attribuer un contrat comme il l'entend, avec la complicité d'un parti d'opposition en manque d'électorat et d'un gouvernement plutôt satisfait devant cet auto-sabordage politique.

En bref, aussi légitime soit-il, le gouvernement n'est pas souverain. Il se doit d'opérer dans le cadre constitutionnel, dans le respect des paramètres établis par la séparation des pouvoirs. Le tout pour le bien-être du citoyen, justiciable et contribuable. Même si celui-ci a voté massivement pour le cheuf...

La mort annoncée du système de santé public

En décembre 2011, le ministre fédéral des Finances, Jim Flaherty, annonçait son plan sur les transferts en matière de santé : Ottawa continuera à augmenter ses paiements aux provinces de 6 % par année jusqu'en 2017, moment à partir duquel le calcul s'effectuera plutôt en fonction du PIB par habitant sans tenir compte des coûts liés au vieillissement de la population et du nombre de personnes âgées que compte chaque province.

Sans surprise, cette annonce fédérale a provoqué un tollé de protestations : financement insuffisant, décision unilatérale et inacceptable du fédéral, intransigeance de ce dernier. En bref, rien de neuf sous le soleil du partage des compétences, rien de plus prévisible qu'une crisette à saveur semi-constitutionnelle.

Au-delà de la dynamique habituelle des relations fédérales-provinciales, reste que l'aspect le plus important de l'annonce a été occulté : l'absence de conditions aux transferts. Expliquons-nous.

La *Loi canadienne sur la santé* vise à établir les paramètres des transferts fédéraux dans ce domaine afin d'assurer la pérennité du système public. Ainsi, les provinces désireuses de se qualifier pour l'ensemble des subsides disponibles (ce qui est évidemment toujours le cas) doivent impérativement se conformer à certains postulats non négociables :

« Article 7. Le versement à une province, pour un exercice, de la pleine contribution pécuniaire est assujetti à l'obligation pour le régime d'assurance-santé de satisfaire, pendant tout cet exercice, aux conditions d'octroi énumérées aux articles 8 à 12 quant à : a) la gestion publique ; b) l'intégralité ; c) l'universalité ; d) la transférabilité ; e) l'accessibilité. » En d'autres termes, si une province souhaite obtenir l'argent du fédéral, elle doit préalablement respecter les conditions de la *Loi canadienne sur la santé*. Celles-ci assurent, on l'a vu, les fondements du système public.

Avec la nouvelle annonce fédérale, le gouvernement Harper viole cette même loi en refusant d'assujettir les provinces aux conditions, pourtant essentielles, mentionnées plus haut. Exit donc les standards, les normes et autres programmes dits nationaux. Ottawa justifie cette absence de conditions en précisant que la latitude maintenant accordée aux provinces permettra de réformer un « système [de santé] en difficulté ». Du même souffle, il promet de faire respecter autant les principes que l'esprit de sa loi.

C'est à n'y rien comprendre. Comment interpréter les promesses fédérales sur le respect de la *Loi canadienne sur la santé* et l'absence de conditions imposées aux provinces quant à l'exercice de leur compétence ? Comment peut-on respecter une loi sans être assujetti à ses conditions ?

De deux choses l'une : soit le gouvernement Harper a menti, soit il a escamoté la vérité. S'il souhaite effectivement s'assurer du respect des principes de la loi, nul doute qu'il devra sanctionner toute violation de celle-ci, qu'elle soit accidentelle ou idéologique.

Imposer et faire respecter les conditions prévues à la loi, nécessite, il va sans dire, du courage politique. Difficile en fait de pénaliser les provinces délinquantes, comme le prévoit la loi, sans prendre le risque de créer de nouveaux conflits, avec possiblement des conséquences sur les résultats aux élections.

Cela explique probablement pourquoi les conservateurs ont été, depuis l'élection de 2006, plutôt timides côté sanctions. Une brève analyse révèle qu'à peine... 306 543 $ auraient été déduits des paiements aux provinces suite aux « infractions » commises par celles-ci ! Considérant les 141 milliards de dollars pourtant versés par le gouvernement fédéral aux provinces lors de cette même période, marquée par l'arrivée du privé dans le système, il s'agit de pénalités pour le moins dérisoires.

Si les conservateurs refusent effectivement d'imposer à l'avenir toutes formes de conditions aux provinces, c'est qu'ils font le pari d'ignorer une loi fédérale pourtant en vigueur. Et ça semble malheureusement fonctionner. Quels médias nous ont alertés sur cette manœuvre conservatrice ?

Au risque de me répéter, je rappelle qu'une telle manœuvre ne peut se faire en catimini. Pour une majorité de Canadiens, le système de santé public constitue une pierre d'assise des valeurs nationales, un symbole unificateur et rassembleur qui permet de nous distinguer de nos voisins du Sud. Un débat public, initié à la Chambre des communes, s'imposerait dans ce cas. En d'autres termes, si les conservateurs souhaitent abolir le système de santé public, qu'ils le fassent en toute transparence.

On répliquera que l'abrogation de la loi aurait un coût politique pour le moins élevé, voire exorbitant. Je répondrai alors que, justement, un enjeu sociétal de cette envergure mérite à la fois transparence, franchise et courage. Exit les manœuvres machiavéliques empreintes de cynique calcul politicien.

On ne peut plaider une chose et son contraire : promettre l'absence de conditions en même temps que le respect de la loi actuellement applicable revient, dans les faits, à souffler simultanément le chaud et le froid.

ABOLITION DU REGISTRE DES ARMES À FEU

« C'est un moment de grande fierté, car c'est le point culminant de plusieurs années de travail pour remplir une des premières promesses que notre gouvernement a faites en 2006. » De quelle promesse parle ici le ministre de la Sécurité publique, Vic Toews ? Celle d'abolir le registre des armes à feu. Venant d'un gouvernement qui se targue d'assurer la sécurité de ses électeurs, disons que la déclaration, en octobre 2011, du ministre en charge de celle-ci est empreinte d'ironie. Une source de grande fierté, l'abolition d'un registre visant à contrôler la propriété et la circulation des armes au pays ? Plaît-il ? À tout le moins, rendons à César ce qui lui appartient : la franchise. Depuis l'élection de 2006, nul doute que le registre se trouvait dans la mire (sans jeu de mots) des conservateurs. Le motif ? Son inutilité présumée.

À vrai dire, difficile ici de voir autre chose qu'un simple calcul partisan : une faction substantielle de la base électorale conservatrice appuyait sans réserve l'abolition pure et simple du programme, et ce, principalement, pour des raisons de commodités.

Pourquoi enregistrer son arme si nous sommes d'une probité irréprochable ? Pourquoi subir les affres d'une bureaucratie tentaculaire alors que nos voisins du Sud peuvent se procurer des armes d'épaule au Wal-Mart ?

Les forces policières canadiennes confirment l'utilité du registre ? On s'en fiche. En fait, non seulement la loi assure l'abolition pure et simple de ce registre, mais elle interdit également aux provinces canadiennes d'utiliser à leurs fins propres les données et autres informations recueillies par ce programme. Recueillies à grands frais, car la mise sur pied du registre a coûté aux contribuables canadiens plus d'un milliard de dollars, les données seront tout simplement… détruites.

La raison ? Selon le ministre Toews, empêcher que le registre honni ne reprenne vie un jour : « C'est clair que l'intention du NPD est de conserver ces données pour créer à nouveau le registre aussitôt que possible. Nous ne laisserons pas ces données en suspens pour permettre qu'un nouveau registre des armes d'épaule soit créé à la première occasion venue. » Voilà qui est dit.

Les collègues québécois de Toews ont sitôt fait de lui emboîter le pas. Concernant la possibilité que le gouvernement du Québec puisse reprendre à son compte les informations du registre, le ministre Bernier assure : « C'est un non catégorique. Nous allons détruire ces données-là. » Le ministre Paradis ajoute pour sa part : « Qu'ils créent un registre, qu'ils s'en créent un. Mais ils n'auront pas les données du fédéral, c'est clair. On a dit qu'on l'abolissait, alors on l'abolit. » Voilà qui est redit.

Quant à la motion unanime de l'Assemblée nationale visant à sauvegarder le registre, ou au moins ses données, le ministre Paradis n'en a que faire : un consensus parlementaire ne peut faire le poids devant les préoccupations d'un regroupement de chasseurs québécois opposés au programme.

En d'autres termes, au diable la représentativité démocratique ! Au diable les parlementaires et leurs revendications ! Vive le lobby des armes à feu ! Vive le regroupement des chasseurs québécois ! Après tout, ne représentent-ils pas le « vrai monde », disent les ministres conservateurs ? À les entendre, l'ensemble des députés québécois seraient donc le « faux monde ». Il faudra un jour nous expliquer la différence entre ces deux catégories.

Le droit applicable, maintenant. Comment faire pour sauvegarder le programme ou ses données ? Ce n'est pas simple.

Sur le plan du partage des compétences, rien n'empêche bien sûr le fédéral de mettre fin à l'un de ses programmes. Et pour demander un transfert des données, il nous est difficile de trouver les arguments. Certains ont invoqué le fait que les Québécois, par leurs impôts fédéraux, ont contribué substantiellement à son financement. Sans remettre en question cette évidence comptable, l'argument ne tient pas la route : aux dernières nouvelles, le gouvernement fédéral finance l'ensemble de ses activités à partir des efforts fiscaux de ses citoyens. Et aucune jurisprudence n'a accordé, du moins à ce jour, un droit de veto aux provinces quant aux décisions administratives du gouvernement central.

Cela étant dit, il serait possible de faire appel à l'article 7 de la Charte canadienne des droits et libertés, lequel prévoit que « chacun a droit à la vie, à la liberté et à la sécurité de sa personne ; il ne peut être porté atteinte à ce droit qu'en conformité avec les principes de justice fondamentale ». Alors que les atteintes aux droits fondamentaux se justifient par le test de Oakes qui permet de venir balancer les droits de l'individu et ceux de la collectivité dans le contexte d'une société libre et démocratique, l'atteinte au droit à la vie, à la liberté ou à la sécurité peut également être légitimée, mais par un processus un peu plus complexe. En effet, en plus du test de Oakes, il faudra d'abord prouver que l'atteinte en question s'effectue en conformité avec les « principes de justice fondamentale » dont fait état l'article 7. Notion vague, évidemment, que la Cour suprême du Canada prend d'ailleurs soin de ne jamais circonscrire précisément afin de ne pas en limiter la portée. Il ressort toutefois de la jurisprudence que ces principes sont des préceptes fondamentaux du système juridique canadien, se manifestant sous la forme de garanties procédurales ou d'autres composantes du système (le droit à une défense pleine et entière, le droit au silence de celui qui est en détention, le droit à la présence de son avocat au procès, etc.).

Ainsi, afin d'atteindre des droits garantis par l'article 7, l'État devra faire la démonstration que ladite atteinte s'effectue en conformité avec les principes de justice fondamentale ou, ultimement, en tout respect des principes prisés par une société libre et démocratique.

Il s'agirait alors d'une question de preuve. Rien n'empêcherait le fédéral de faire témoigner une pléiade d'experts afin de démontrer l'absence de cause à effet entre le nombre de crimes et le maintien du programme actuel. Idem pour la sauvegarde des données. On assisterait dès lors à un débat épique entre spécialistes, forces policières et autres lobbys. Perspective excitante, certes, du moins d'un point de vue intellectuel et politique.

Notons que le gouvernement du Québec a obtenu gain de cause pour le moment, la Cour supérieure ayant ordonné le maintien des données propres au Québec au motif que « la destruction participe à la négation de l'équilibre juste et fonctionnel entre le Canada et le Québec, puisqu'elle constitue une tentative directe d'empêcher ce dernier d'exercer un domaine de sa compétence constitutionnelle et s'avère contraire aux principes du fédéralisme coopératif». Ottawa a, depuis, porté la cause en appel. Ô surprise.

Malgré cette décision initiale, la Cour d'appel du Québec infirme celle-ci le 27 juin 2013. Elle ordonne le sursis de la destruction des données du registre des armes à feu, et ce, jusqu'à la décision finale de la Cour suprême, laquelle sera possiblement rendue en 2014. Reste à voir si le plus haut tribunal du pays sanctionnera, dans les faits, l'ironie du discours conservateur…

LA RÉFORME DU SÉNAT

Le 21 juin 2011, le ministre d'État Tim Uppal déposait le projet de loi C-7 visant à modifier unilatéralement le processus de sélection des sénateurs et limiter à neuf ans la durée de leur mandat. Concrètement, le processus permettrait aux provinces de tenir des élections dites sénatoriales afin de pourvoir aux sièges éventuellement vacants. Le mal à ça ? Sur le fond, probablement aucun, tout dépendant bien sûr de notre conception personnelle de la Chambre haute. Mais sur la forme...

L'article 42 (1) b) de la *Loi constitutionnelle de 1982* prévoit que toute modification aux pouvoirs du Sénat et au mode de sélection des sénateurs doit s'effectuer en vertu de la formule du 7/50 (nécessitant l'appui d'au moins sept provinces, représentant au moins 50 % de la population canadienne, en plus de la Chambre des communes[1]). Assez logique. Toute fédération qui se respecte se dote habituellement d'un sénat fort, protégeant et assurant la promotion des intérêts régionaux. Sanctifiant l'équilibre fédéral,

1. L'appui du Sénat n'étant pas essentiel à une telle réforme, voir l'article 47 de la *Loi constitutionnelle de 1982*.

en quelque sorte. De ce fait, et malgré l'insignifiance historique du sénat canadien, il est pour le moins normal, même souhaitable, que les provinces aient voix au chapitre quant à la réforme de ce dernier.

Pourtant, avec ce projet de loi déposé, le fédéral a choisi, ici encore, de faire cavalier seul, de s'affranchir du consentement des provinces, pourtant obligatoire. Et pourquoi donc ? Parce que quiconque s'y connaît un minimum en histoire constitutionnelle canadienne sait fort bien que tout amendement à la loi constitutive du pays comporte un potentiel politique explosif. Pensons à l'accord du lac Meech. Pensons à celui de Charlottetown.

À titre d'exemple, pourquoi une province accepterait d'avaliser la réforme du mode d'accession au trône, ou celle concernant le Sénat, et ce, sans rien demander en échange ? Pourquoi ne pas profiter plutôt de l'occasion pour obtenir une nouvelle concession du fédéral ? Voilà exactement le type de piège que tente d'éviter ici le gouvernement Harper, fin stratège politique.

Petit problème cependant : les formules d'amendement ne sont pas optionnelles, elles sont impératives. Peu importe le degré de difficultés potentielles. Peu importe le caractère noble ou légitime de l'opération envisagée. Pourquoi ? Parce qu'on veut s'assurer d'une marche à suivre claire et sans équivoque pour toute modification à la Constitution ; pour éviter la tyrannie de la majorité et pour mettre les minorités à l'abri des dérives populistes. Pour ce faire, gouvernements et législatures doivent respecter les règles du jeu. Et ces règles sont précisément les formules d'amendement prévues dans la Constitution canadienne.

Vous trouvez que j'ai une vision trop rigide, trop dogmatique? Peut-être. Sauf qu'entre deux maux, je préfère le moindre. Les formules d'amendement ont été instaurées pour forcer le consensus politique, éviter les dérapages ou les dérives d'un gouvernement central déjà puissant, pour préserver l'équilibre fédéral.

Voilà sans doute pourquoi, en mai 2012, le précédent gouvernement du Québec a porté la question devant la Cour d'appel du Québec pour que celle-ci détermine si la réforme envisagée par Ottawa nécessitait l'aval des provinces. Le 24 octobre, la Cour d'appel a tranché la question unanimement, déclarant le projet de loi inconstitutionnel[2].

Toutefois, en ce qui concerne la durée du mandat des sénateurs, aucune formule d'amendement n'en prévoit la modification; le gouvernement conservateur pourrait donc plaider que la participation des provinces n'est pas requise à ce sujet, en vertu de

2. Les cinq juges ont affirmé que: « le projet de loi fédéral, s'il avait été adopté, aurait été inconstitutionnel sans l'assentiment d'une majorité des provinces donné conformément au paragraphe 38 (1) de la Loi constitutionnelle de 1982, puisqu'il constituait, par sa nature véritable, une modification au mode de sélection des sénateurs et aux pouvoirs du Sénat, et ce, sans respecter le processus prévu, mais en tentant plutôt de le contourner ».

quoi, il aurait le pouvoir de modifier unilatéralement ce pan de la Constitution.

D'ailleurs, souhaitant sûrement reprendre le contrôle du dossier en posant lui-même les questions jugées pertinentes, le gouvernement Harper a soumis son projet de loi à la Cour suprême. Attendons donc la décision de la plus haute instance judiciaire au pays. Mais parions un petit deux sur ceci : contrairement à la classe politique, la Cour suprême risque de ne pas badiner longtemps sur le caractère obligatoire des règles d'amendement, sur la nécessité de respecter l'ordre constitutionnel.

Dans tous les cas, ces renvois à la Cour suprême[3] sur la réforme sénatoriale constituent, peu importent les décisions qui seront rendues, une excellente initiative : clarifions d'abord l'application des formules d'amendement, enjoignons ensuite le politique à suivre les règles en place. Cela évitera que les prochaines tentatives de modification de l'ordre constitutionnel canadien aient l'air, éventuellement, d'une vulgaire visite au buffet.

3. Le gouvernement canadien peut soumettre au jugement de la Cour suprême toute question importante de droit ou de fait relative à l'interprétation des Lois constitutionnelles et à la constitutionnalité ou l'interprétation d'un texte législatif fédéral ou provincial (en vertu de l'article 53 de la Loi sur la Cour suprême).

La reine du Canada

Le 31 janvier 2013, le gouvernement fédéral déposait un projet de loi afin d'entériner les nouvelles règles pour la succession au trône du Royaume-Uni, changements proposés par Londres elle-même, bien sûr. Ainsi, la règle qui imposait que les héritiers mâles aient préséance sur leurs sœurs aînées sera abolie. Idem pour la règle interdisant à un héritier d'avoir un conjoint catholique, sous peine d'être rayé de la lignée royale. Deux discriminations de moins. Une bonne chose, bien entendu.

Cette réforme ne semble souffrir d'aucun vice de fond. Au contraire. Toute tentative, même ténue, de moderniser des institutions vétustes et symboliques devrait, il semble, être accueillie comme une bouffée d'air frais. Sauf qu'au-delà des intentions nobles et louables, le bât blesse. Sur la forme, cette fois. Sur la façon de procéder, illégalement unilatérale.

Entériner les changements demandés par Londres constitue-t-il une modification au niveau constitutionnel ? Si oui, quelle formule d'amendement s'applique ?

En fait, difficile de plaider que ces changements entraîneraient une modification à « la charge de la Reine, celle du gouverneur général et celle du lieutenant-gouverneur », tel que prévu à l'article 41 de la *Loi constitutionnelle de 1867* et nécessitant une adoption à l'unanimité. C'est vrai, en quoi le sexe ou la religion de cette reine viendrait affecter le cadre de ses fonctions, ses responsabilités ou ses charges ? Cela dit, il est clair qu'un changement substantiel aux conditions d'accession au poste de chef d'État devrait, selon toute vraisemblance, être considéré comme une modification de nature constitutionnelle. La formule résiduaire du 7/50, qui exige l'appui des deux chambres fédérales et d'au moins sept provinces représentant au moins 50 % de la population canadienne, devrait donc s'appliquer.

Alors, pourquoi Ottawa a-t-il choisi, encore une fois, de faire ici cavalier seul ? Parce qu'il est plus simple de procéder unilatéralement que d'ouvrir la boîte de Pandore constitutionnelle, que de démarrer des négociations avec les provinces, souvent insatiables, la liste d'épicerie de leurs demandes respectives en main. Qu'importe si le choix d'agir ainsi mène à l'illégalité, à un détournement des règles d'amendement prévues.

Laskin, séparation des pouvoirs et coup d'État

Difficile d'éluder dans cet ouvrage les allégations du livre *La bataille de Londres* paru en 2013. Brouhaha prévisible à Québec, du côté du Parti québécois. Coup d'État, criait-on. D'aucuns connaissent la propension des souverainistes (ou indépendantistes, dixit Landry) à monter en épingle toute forme de coup fourré, réel ou présumé, en provenance d'Ottawa. Pour mousser la cause, bien sûr. Rien de neuf, ni de très original.

Sauf qu'au-delà d'une démagogie, pouvant entraîner parfois une distorsion éhontée de l'Histoire, demeurent certains principes qui transcendent toutes considérations partisanes. Cela s'avère particulièrement justifié lors d'affronts manifestes aux fondements de l'État de droit, lequel constitue la pierre angulaire de toute société démocratique.

Le caractère troublant des allégations du professeur Bastien interpelle à la défense tous azimuts d'un principe méritant un respect à la mesure de son importance politique et constitutionnelle : la séparation des pouvoirs.

« Le pouvoir absolu corrompt absolument », affirmait Lord Acton, et Machiavel avant lui. Cette maxime illustre bien, encore aujourd'hui, les écueils potentiels d'une promiscuité entre les pouvoirs exécutif et judiciaire. Afin que ce dernier puisse agir à titre de rempart ultime contre l'arbitraire et autres abus étatiques, il se doit d'être libre de toute interférence de l'exécutif. L'inverse, bien que plus rare, se veut tout aussi vrai, tout aussi impératif. C'est pourquoi les accusations de *La bataille de Londres* sont aussi déroutantes qu'inquiétantes.

L'on répondra qu'il s'agit, à ce stade, de simples allégations : la Cour suprême aurait refilé certaines informations au pouvoir exécutif canadien et britannique. Sauf que son propos semble se fonder sur une recherche historique exhaustive. Ceci est d'autant plus remarquable que l'auteur dut, pour son enquête, s'en remettre presque exclusivement aux documents des archives britanniques. C'est là, dans les faits, que le bât blesse. Parce que, faisant fi des obligations les plus élémentaires en matière de transparence, les autorités canadiennes auraient refusé de livrer les informations requises. Sans raison invoquée ou autre motivation fournie.

Cette affaire a un caractère à la fois cavalier et ironique. Cavalier car, dans tout État de droit, l'accès à l'information n'est pas optionnel, et ironique car cet ouvrage sur un épisode fondamental de l'histoire constitutionnelle canadienne n'aurait donc pu voir le jour sans la participation britannique.

On répliquera que Laskin est décédé et qu'il sera donc difficile, voire impossible, de faire la lumière sur les agissements reprochés. Peut-être. Mais est-ce une raison suffisante pour interdire l'accès à une documentation exhaustive? Aucun rapport. En fait, la seule raison probable tient à ceci (qui explique cela): Ottawa souhaite garder certains faits secrets. Voilà tout. C'est minable. Historiquement, politiquement, philosophiquement.

Plusieurs esprits, moins partisans mais néanmoins critiques, ont soulevé une importante question: et le fond, dans tout ça? En quoi les révélations de Bastien, si elles étaient avérées, modifient ou devraient modifier les conclusions du Rapatriement[1], et son *modus operandi*? Sans rien enlever à la gravité des actes reprochés, la réponse est que cela ne changerait rien. Pour plusieurs raisons.

D'abord, le juge en chef Laskin était minoritaire lors du Renvoi de 1981. Alors qu'il concluait à la légalité d'un rapatriement unilatéral fédéral et à l'absence de violation de toute convention, la majorité de sa Cour était d'un autre avis: un rapatriement unilatéral serait légal, oui, mais contraire à la convention constitutionnelle. La manœuvre fédérale

1. À partir de 1982, le Canada s'est doté de formules d'amendement permettant de modifier sa Constitution sans l'autorisation de Londres, ce qu'il ne pouvait pas faire auparavant.

devrait donc compter sur un degré appréciable de consentement provincial.

Ainsi, la Cour suprême a obligé le gouvernement Trudeau à négocier avec les provinces sur le contenu et sur les conditions du rapatriement. Que le Québec ait fini par se retrouver isolé à la fin des négociations, par sa faute ou celle d'Ottawa (l'histoire varie selon l'Histoire), n'a strictement rien à voir avec la décision de la Cour suprême. Et encore moins avec celle, minoritaire, de Laskin.

Il faut aussi rappeler que Londres, sa première ministre en tête, souhaitait le rapatriement, voulait que la démarche de Trudeau réussisse, que le Canada conclue enfin cet épisode commencé par le Statut de Westminster en... 1931. Qu'on passe enfin à autre chose sans répercussions diplomatiques pour la Couronne britannique. Les états d'âme du Québec ? Euh. L'amertume de René Lévesque ? Euh...

Malgré ce qui précède, le fond ne peut pas, en ce cas précis, occulter la forme. La fin ne peut pas justifier les moyens. Que Laskin ait voulu influencer concrètement le cours de l'histoire politique et constitutionnelle canadienne, peu importe la façon, relève d'une hérésie, de la violation de la séparation des pouvoirs.

Je m'étais fait graduellement à l'idée, malgré ma nausée, que la séparation entre l'exécutif et le législatif canadiens, surtout avec l'actuel gouvernement, relevait de plus en plus d'une chimère. Mais que cette absence d'étanchéité existe également entre le pouvoir judiciaire et ses deux homologues ? Misère !

Épilogue

OU L'ILLUSTRATION ULTIME DE CE QUI PRÉCÈDE: LA CHARTE DES VALEURS QUÉBÉCOISES

Au cours des pages qui précèdent, il a été donné de constater l'ampleur et surtout la multitude des pratiques violant l'État de droit. Ces accrocs sont parfois mineurs, parfois importants, toujours dangereux. En fait, dans tous les cas, ils sont représentatifs, voire symptomatiques d'une idéologie pour le moins méprisable: celle qui vise à nier l'importance de la primauté du droit sur le plan démocratique. Comme si cette même démocratie pouvait subsister adéquatement sans règles du jeu, sans le respect de celles-ci. Comme si la démocratie était le simple résultat de l'expression de l'humeur de la majorité, variant selon la thématique du jour. Camus affirmait: « La démocratie, ce n'est pas la loi de la majorité, mais la protection de la minorité. » D'accord avec lui, bien entendu. Mais qui protégera la démocratie contre elle-même ? L'État de droit. Au risque de se répéter, une violation de celui-ci en vient à vicier l'ensemble du processus démocratique.

L'essentiel de ce livre était pratiquement rédigé quand survint, à mon sens, la confirmation de la pertinence de son propos, l'illustration ultime, la consécration factuelle des craintes ici exprimées. Je parle ici de la Charte des valeurs québécoises.

Loin de moi l'idée de prétendre « voyez, je vous avais avertis », encore moins de me réjouir de la concomitance de ce livre avec la campagne populiste actuellement mise en place par le gouvernement québécois. En fait, il y a plutôt lieu de craindre, et pour de multiples raisons.

D'abord, l'objet. Le Parti québécois affirme vouloir assurer la neutralité religieuse de l'État. Aucun employé de l'État ne pourra donc porter de signes qualifiés d'ostentatoires dans le cadre de ses fonctions. D'autres éléments figurent également au projet de loi (accommodements raisonnables, services à visage découvert, etc.), mais nul doute que le volet sur les signes ostentatoires constitue la figure de proue de ce dernier. L'objet, donc. Souhaite-t-on réellement assurer la neutralité de l'État ? Peut-être. Mais au fait, celui-ci, mis à part le crucifix qui orne le salon bleu de l'Assemblée nationale, là où sont adoptées les lois, ne l'est-il pas déjà ? La neutralité étatique passe-t-elle nécessairement par l'allure vestimentaire de ses employés ? Pas sûr, pas sûr du tout.

Lors d'un strip-tease calculé au cours duquel Mme Marois et M. Drainville ont laissé tomber des pans de la future Charte, il a été compris assez facilement que celle-ci se voulait plutôt une réponse à deux plaies d'Égypte galopantes : le multiculturalisme et l'islamisme.

Justifiant la nécessité d'une Charte, la première ministre plaide au *Devoir* qu'« en Angleterre, ils se tapent sur la gueule et s'envoient des bombes parce que c'est le multiculturalisme et qu'il n'y a plus personne qui se retrouve dans cette société-là ». Ah bon. Qu'on se le tienne pour dit. Les terroristes hurlent maintenant « Multiculturalisme !!! » au moment de se faire auto-exploser. On pourrait aussi discuter du modèle d'intégration français si cher à Mme Marois, mais passons. Idem pour les propos du ministre Drainville qui, sur les ondes de Radio-Canada, dit être préoccupé par l'islamisation de Montréal.

Évidemment encouragées par « la maudite charte à Trudeau », ces deux menaces à l'identité québécoise doivent donc être enrayées par voie législative. La charte ne vise donc pas, ultimement, les signes ostentatoires, mais bien à stopper les deux fléaux ciblés. Le gouvernement péquiste, évidemment, se défend bien d'une telle accusation. On imaginerait mal le contraire. Sauf que tout va en ce sens. Il a, de manière fort irresponsable, ouvert la voie aux pires excès, à l'expression des sentiments les plus vils : la méfiance de l'Autre, le préjugé, le radicalisme, la xénophobie et le racisme.

Le gouvernement a donné sa pleine bénédiction au regroupement des Janette. C'est son droit. Sauf que cette même bénédiction, réaffirmée depuis, a été accordée aux propos assez édifiants merci, comme « les femmes voilées sont toutes des christ de folles qui se maquillent comme des clowns » ou « je refuserais d'être soignée par une femme voilée de crainte que dans sa religion, on laisse partir les femmes plus facilement que les hommes ». Un gouvernement responsable condamnerait clairement ce type de propos. Un autre exemple de ce qui précède serait certainement les propos tenus par Djemila Benhabib, elle-même Janette et porte-parole occulte du PQ en l'espèce : « Un océan de sang me sépare des islamistes », « Québec solidaire est infiltré par l'Islam », « Ce voile, taché de sang, est purement politique », « Le lobby musulman a mis tout son poids pour nuire au Parti québécois lors de la dernière campagne électorale », et j'en passe. Certains de ces propos ont été entendus (et sont vérifiables sur vidéo) par l'auteur de ces lignes qui a participé à un débat avec Mme Benhabib auprès de retraités de Trois-Rivières, d'autres ont été rapportés par les médias.

Et pourquoi le gouvernement n'a-t-il pas condamné les propos de Mme Benhabib ? Parce qu'ils font son affaire. Parce que le projet de Charte, visiblement populiste, peut bien effrayer une partie de la population au moyen de préjugés juteux, alimenter la crainte de l'Autre et se présenter comme la solution ultime afin de régler un problème créé de toutes pièces. On met le feu et on annonce ensuite être les seuls à pouvoir l'éteindre. À la fois pyromanes et pompiers. Habile. On pourra, par ailleurs, compter sur certains médias pour assurer la propagande antimusulmane. *Le Journal de Montréal*, par exemple, sondait récemment les Québécois sur la question suivante: «Êtes-vous islamophobes?» Oui, vous avez bien lu. Comme si l'islamophobie était devenue une option envisageable, une avenue permise, respectée, ou à tout le moins respectable. Après le brocoli, les Maple Leafs de Toronto et la Bud Light, voici l'Islam. Vous avez le droit de ne pas aimer et de l'exprimer publiquement, vous savez. Les goûts, après tout, ne se discutent pas. Et après ce sondage, Mathieu Bock-Côté ose écrire une chronique à l'effet que l'islamophobie est un concept frauduleux. N'existe pas, le racisme envers les musulmans, nous dit celui-là même qui commence la majeure partie de ses textes par: «On va encore m'accuser d'être raciste, mais...» Comme si le fait de dénoncer les allégations de racisme à son endroit suffisait pour se dédouaner de l'être. Mentez, mentez, il en restera toujours quelque chose, disait Voltaire.

J'entends certains critiquer le fait que j'écarte beaucoup trop facilement la possibilité d'un réel problème avec le port du voile. Je rétorquerai alors ceci: ce n'est pas à moi d'expliquer en quoi ce problème n'existe pas, mais bien au gouvernement de démontrer en quoi il existe. De justifier que demeure, dans les faits, un fléau réel devant être enrayé *ipso facto*. Et jusqu'à maintenant, la démonstration n'a pas été faite.

Finalement, pressé de toute part par les médias et les opposants à son projet, le ministre Drainville a dû admettre qu'il n'existait aucun rapport sur la question des signes ostentatoires réalisé par la fonction publique québécoise, aucun rapport démontrant le lien entre le port de ceux-ci et la neutralité religieuse de l'État, aucune statistique sur le nombre d'employés visés, ni sur le nombre de plaintes reçues. Idem pour la question des accommodements raisonnables évoqués dans le projet.

Ainsi, à la question « mais sur quoi, alors, vous basez-vous, monsieur le ministre ? », ce dernier de répondre que l'opération était justifiée par le malaise des Québécois quant au voile. Voilà qui est dit, voilà qui a le mérite d'être honnête. Nous légiférerons pour cause de malaise. Comme les députés russes l'ont fait récemment sur les manifestations publiques homosexuelles. Le malaise, nouvelle source de législation. Superbe, surtout lorsqu'on sait que divers régimes démocratiques ont constitutionnalisé les droits fondamentaux justement afin de protéger les minorités des « malaises » éprouvés par la majorité à leur endroit.

L'aspect purement juridique, maintenant. La quasi-totalité des experts s'entendent pour dire que le projet est inconstitutionnel, la liberté de religion et l'interdiction de discrimination étant prévues à la fois par la Charte canadienne et par la Charte québécoise. Les cas de jurisprudence quant à la protection de ces libertés civiles sont maintenant légion. Ces droits fondamentaux ont été entérinés afin d'assurer le respect de ce qui, parfois, ne fait pas notre affaire. Pas afin de s'assurer que tous et chacun adoptera la culture, les coutumes et les mœurs religieuses dominantes.

Et qu'en est-il du rachat de la violation de ces mêmes droits fondamentaux? Franchement, difficile de voir comment un juge puisse conclure que cette attaque virulente à des droits si fondamentaux, le tout apparemment fondé sur la base d'un pur malaise, pourrait se justifier dans le cadre d'une société libre et démocratique. Pour le plaisir, procédons rapidement au test de Oakes:

1. Peut-on ici conclure que l'objet de la loi en est un réel et urgent? Réponse déjà donnée plus haut.
2. S'agit-il, en l'espèce, d'une atteinte minimale aux droits de l'individu? Si on considère que celui qui refusera d'enlever le signe religieux litigieux perdra son emploi, il semble clair que la réponse est non. On plaidera, bien sûr, que s'il porte le signe en question par choix, il pourra bien l'enlever pour la durée de son quart de travail. Argument fallacieux.

D'abord, il nie l'importance du signe, son caractère symbiotique pour nombre d'individus, qu'ils le portent par choix ou non. Ensuite, le fait que ce choix existe ne peut en rien justifier une action de l'État visant à priver l'individu d'un de ses choix. Une démocratie sérieuse, autrement dit fondée sur un État de droit gardien de libertés civiles, se caractérise par son respect des choix individuels, que ceux-ci plaisent ou non à l'ensemble de la société: avortement, mariage gai, transgenre. Par ailleurs, même en partant de la prémisse qu'il revient à la société de libérer toute femme voilée des affres de sa religion, croit-on sincèrement que la meilleure façon de procéder serait de forcer celle-ci à choisir entre son job et son voile? Sauf erreur, la femme voilée qui travaille... travaille. Elle paie donc des impôts, bénéficie d'une certaine autonomie, parle français, interagit avec les autres. Elle n'est pas, sauf erreur, enchaînée au calorifère d'un sous-sol appartenant à un sinistre-barbu-poseur-de-bombe-multiculturaliste-pro-angleterre.

3. Existe-t-il un lien rationnel entre l'objectif recherché et la mesure entreprise? Ici encore, compte tenu du fait que la neutralité de l'État constitue un prétexte plutôt que l'objet réel de la Charte (puisqu'on maintient le

crucifix à l'Assemblée jusqu'à nouvel ordre), comment pourrait-il exister un lien rationnel entre le projet de loi et un objet qui sert de prétexte ? La mesure proposée ne vise-t-elle pas plutôt à combattre le multiculturalisme et/ou l'Islam ? En bref, aucun lien rationnel entre les mesures proposées et l'objectif allégué.

4. La proportionnalité de l'opération et ses conséquences est-elle assurée ? Pas sûr. Nous parlons plus d'une mesure visant à écraser une mouche à coups de bazooka. Ajoutons que le ministre pourrait également assujettir aux dispositions de la Charte toute entreprise faisant affaire avec l'État ou recevant des subventions de celui-ci, ce qui viendrait étendre les tentacules de l'opération au domaine privé, et finalement à la quasi-totalité de la sphère québécoise. Quelle entreprise ne fait jamais affaire avec l'État ou n'a jamais reçu de subventions ? Qui, ainsi, osera embaucher une femme voilée, prenant ainsi le risque de devoir congédier celle-ci et de s'exposer ensuite à d'éventuelles remontrances syndicales ? Tim Horton ? MacDonald ? Belle intégration.

Le projet, du moins dans sa forme actuelle, serait donc inconstitutionnel selon plusieurs aspects. Ceci constitue d'ailleurs la position de la Commission des droits de la personne, celle-ci ayant rendu un rapport (oui, enfin un rapport d'experts!) fort détaillé, bien fouillé, jurisprudences à l'appui, sur ces questions. La réponse de M. Drainville? Merci, on respecte votre position d'experts, mais on n'en tiendra pas compte. Et M. Drainville ajoutait à un ami lors d'une discussion privée: «Les tribunaux, on s'en sacre des tribunaux! On en a marre, du droit! Fini, le gouvernement des juges!»

Voilà un bel exemple du résultat d'accrocs constants à l'État de droit, et de leur banalisation: on en vient à considérer les sondages comme plus importants que les tribunaux, le gain électoral comme plus important que le respect des minorités, l'avis de Janette Bertrand comme plus important que le rapport de la Commission des droits de la personne, le malaise de M. Drainville comme plus important que les droits fondamentaux.

Postface

L'ÉTAT DE DROIT, ATTENTION : FRAGILE

Demandez à n'importe quel élu quel est l'élément fondamental, l'assise d'une démocratie en santé. Pour être politiquement correct, plusieurs vous répondront que c'est la participation citoyenne, la voix du peuple, souveraine en démocratie.

Vrai. Mais évitons de sombrer dans l'angélisme. Avec des taux de participation électorale aussi navrants – et ces mêmes élus qui y voient parfois un avantage – la preuve est faite que le système ne s'effondrera pas à cause de l'indifférence des électeurs.

Ce qui préserve réellement notre démocratie, ce qui nous protège des dérives autoritaires, de l'arbitraire, de l'inique, le véritable rempart, c'est l'État de droit. On devrait le chérir, le protéger. Pourtant, comme le démontre si éloquemment Frédéric Bérard dans le présent ouvrage, nos gouvernements maltraitent ce principe avec mauvaise foi, légèreté et même parfois avec hargne, selon leurs intérêts électoralistes, leur idéologie, ou à cause de leur incompétence.

Nombreux sont les élus qui critiquent le « gouvernement des juges », soit le pouvoir des tribunaux d'interpréter (et parfois même d'invalider) les lois, mais à voir avec quel amateurisme certains élus parlent des droits fondamentaux, on devrait plutôt se réjouir de l'existence des cours de justice.

J'ai en mémoire quelques exemples de ce que j'appellerais l'« irresponsable légèreté » de certains élus face à de graves questions de droit, mais de ces exemples, aucun ne m'a scandalisé autant que la réaction du ministre fédéral Steven Blaney au cas Omar Khadr.

C'était il y a quelques années, à l'émission Maisonneuve en direct, *sur les ondes de la radio de Radio-Canada, où on débattait du sort du jeune Canadien d'origine afghane emprisonné à Guantánamo et accusé par l'armée américaine d'avoir tué un de ses soldats. L'affaire Khadr, on le constate de nouveau dans ce livre, est complexe : arrestation d'un mineur (il avait 15 ans lors des événements), rôle et responsabilité flous, aveux obtenus suite à de mauvais traitements, emprisonnement prolongé arbitraire, procédures judiciaires militaires contestées, bref, un cas qui exigeait nuances et circonspection, qualités qui manquaient cruellement au gouvernement Harper dans ce dossier. Pour les conservateurs, le jeune Khadr était un terroriste qui avait tué un militaire américain et qui méritait son châtiment.*

Tout cela est peut-être vrai, mais il n'empêche que certains droits fondamentaux d'Omar Khadr avaient été grossièrement violés, sans compter qu'il était mineur au moment de son arrestation.

À l'animateur Pierre Maisonneuve, le ministre Blaney (il était aux Anciens Combattants à l'époque) répliqua pourtant, sans l'ombre d'une hésitation, que l'âge de l'accusé n'avait rien à voir dans cette affaire, que seules comptaient les graves accusations qui pesaient contre lui ! Enfant soldat, citoyen canadien détenu arbitrairement à l'étranger, violation des droits, torture, procès inéquitable, bof, des broutilles !

Comment peut-on, d'un côté, être à ce point obnubilé par la loi et l'ordre, comme le sont les conservateurs et, d'un autre côté, bafouer avec une telle frivolité les principes fondamentaux du régime de droit ? C'est renversant. Et inquiétant.

Inquiétante aussi, cette aversion de certains élus envers les chartes des droits et libertés (canadienne et québécoise ou même celle défendue par l'ONU).

Sur la scène fédérale, les conservateurs de Stephen Harper n'ont jamais caché leur opposition à la Charte, beaucoup trop libérale à leurs yeux, et leur méfiance devant le pouvoir des juges.

Ils ne sont pas les seuls. Les gouvernements québécois, libéraux comme péquistes, succombent parfois à la tentation, eux aussi, de contourner l'esprit ou même la lettre de la Charte des droits et libertés.

L'auteur en parle, notant la tentative du Parti québécois de limiter le droit de se présenter à des postes électifs selon le degré de connaissance du français, ou des libéraux qui ont fait preuve d'un zèle juridique étonnant pour mater la révolte étudiante. Me Bérard en profite pour rappeler, ce sera certes utile, certains principes fondamentaux en droit, des principes bafoués au gré des crises politiques, des prises de position idéologiques ou des intérêts électoraux à court terme.

Pour certains politiciens, les chartes des droits et libertés ne sont que des obstacles à leurs ambitions ou conception de la société. Parfois, il ne suffit pas d'ignorer la Charte, comme le fait régulièrement le gouvernement de Stephen Harper, il faut aller plus loin et carrément l'amender.

Les gens de Calgary, ville de l'Ouest canadien soumise aux caprices du Chinook, ont un dicton pour les visiteurs étonnés par les brusques variations météorologiques : Vous n'aimez pas le temps qu'il fait ? Attendez 15 minutes, ça va changer !

Certains politiciens semblent appliquer cette boutade à la Charte des droits et libertés : Vous n'aimez pas son effet sur la société, attendez un peu, on va la modifier !

La légèreté des gouvernements dans des cas graves, alimentée par la démagogie galopante de certains commentateurs populistes et, encore plus sournois, par des visées électoralistes, constitue certes une grave menace à l'État de droit, mais elle n'est pas la seule.

L'auteur parle, à juste titre, du « tribunal médiatique » et des exécutions sommaires dont ont été victimes quelques témoins devant les commissions d'enquêtes publiques. Pour un journaliste, émetteur d'opinion qui plus est, le rôle des médias dans la préservation de l'État de droit est un sujet délicat. L'idée de limiter la liberté de la presse m'apparaît évidemment détestable, mais à la lumière des expériences des commissions Gomery et Charbonneau, un examen de conscience de la profession journalistique s'impose.

Même si des choses explosives sont dites sous serment dans des commissions d'enquêtes, et que cela fournit du formidable matériel à manchettes, il faut toujours nous interroger sur la crédibilité du témoin, sur ses motivations et sur la contrepartie, donc sur la véracité d'un témoignage. Après tout, les commissions d'enquêtes sont parfois elles-mêmes forcées de faire des mises en garde pour éviter ou limiter un dérapage et salir durablement des réputations.

Nous avons vécu, ces dernières années, des épisodes surréalistes où des personnages douteux, voire des voyous complices de stratagèmes illégaux, devenaient, aux yeux du public, des héros courageux et de valeureux redresseurs de torts !

De Gomery à Charbonneau, on a aussi l'impression, parfois, que les commissions d'enquêtes publiques tombent dans le piège de la manchette facile et succombent à la pression du tribunal populaire qui réclame des « coupables ». Devant une commission d'enquête comme devant un tribunal, la présomption d'innocence existe toujours.

Ce rappel de l'auteur est d'autant plus important en cette ère de la communication virtuelle et des médias sociaux, prompts et incontrôlables, qui peuvent accentuer et accélérer l'effet destructeur de l'opinion publique sur des réputations.

Vincent Marissal

REMERCIEMENTS

Bon droit a besoin d'aide

Molière, *La Comtesse d'Escarbagnas*

Un soir du printemps 2012. Attablé à un bar avec Claudia Larochelle, auteure (une vraie, elle), on discute du monde littéraire québécois, sa passion, ma curiosité. Elle écrit des romans que les gens achètent volontiers, vous voyez le genre. Pour ma part, je gribouille depuis quelque temps des chroniques politico-juridiques que personne ne lit, même gratuitement. Humble contribution de ma part à ce qu'on pourrait appeler la vie sociétale. Claudia me lance : « Pourquoi t'en ferais pas un bouquin, de ces chroniques ? » Euh... si personne ne les lit gratuitement, pourquoi paierait-on pour le faire ? Cela n'a pas découragé Claudia, qui me met en contact *ipso facto* avec des gens du milieu de l'édition. Madame Larochelle, maints remerciements.

Peu de temps après, rencontre avec Marie-Pierre Barathon, magique éditrice chez XYZ. Je la connaissais par personne interposée, elle qui s'était chargée du dernier roman de feu l'ami Jacques Hébert, un bonze, voire précurseur, de l'édition québécoise. Que des éloges pour elle, avais-je entendu Hébert. Je me savais ainsi entre bonnes mains. Certitudes confirmées. Ce qui constituait initialement des chroniques éparses a, avec le talent de Marie-Pierre, graduellement pris la forme d'un bouquin. À la fois compréhensive mais directive, créative mais rigoureuse, elle a su enseigner au juriste que je suis l'ABC de la vulgarisation. Pour l'ensemble de votre œuvre, madame Barathon, mille mercis.

J'aime écrire mais je déteste me relire. Quelle chance j'ai eu d'avoir pu compter sur quelques anciens étudiants afin de vérifier la justesse du propos, la véracité de tel ou tel fait. De fouiller, en droit ou en science politique, pour trouver l'élément qui donnera une plus-value certaine à l'argumentaire. J'offre donc un merci bien senti à Francis Hogue et Sarah Moreau, lesquels se sont souvent pliés au jeu (parfois souffrant). Dans la même veine, un merci particulier à Julie Carlesso et Dominique LeBrun, celles-ci étant venues en renfort sur le livre. Recherches, révisions, suggestions, encouragements au profane que je suis, lequel a douté parfois de la pertinence et de la faisabilité de cet ouvrage. Cette dernière reconnaissance s'adresse également à Geneviève Harvey, méga-attachée de presse, qui mène la charge médiatique avec brio, en domptant au passage l'iconoclaste que je suis. Mesdames, merci. Vous avez sauvé la mise.

J'ai la chance d'avoir deux potes qui, libres et forts de leurs opinions respectives, comprennent et respectent l'État de droit, et sont conscients des impacts de toute violation de celui-ci, notamment sur nos démocraties. Nos discussions animées se retrouvent évidemment, indirectement, dans les propos de ce livre. Merci ainsi à Alexandre Trudeau et à Vincent Marissal, non seulement pour leur préface et postface, mais aussi et surtout pour leur amitié et autres bénéfices marginaux.

Depuis une douzaine d'années, j'ai le privilège d'enseigner au sein de la faculté de droit de l'Université de Montréal. Privilège de compter sur des collègues brillants, certains d'entre eux étant devenus de bons amis et ayant contribué, sûrement à leur insu, aux réflexions de ce livre. Idem pour les quelques milliers d'étudiants qui ont dû subir, au cours de ces mêmes années, mes tirades et mes angoisses quant aux violations de l'État de droit. Vos réflexions en classe, pertinentes et souvent drôles, nous ont conduits, ensemble, à développer l'actuel argumentaire, à questionner maints paradigmes applicables en la matière, à débusquer certains mythes de nos sciences sociales. Comme je le dis souvent, j'apprends certainement plus de vous que l'inverse.

Dans l'introduction du livre, je vous ai indiqué les différents faits qui ont attiré mon attention sur le sujet présent. Sauf un, de nature plus personnelle : Ève. Sans s'intéresser bien sûr aux mêmes enjeux que son père, celle-ci est déjà éprise des valeurs qui sont la base d'un État de droit : justice, honnêteté et respect des règles du jeu. Je te souhaite, Èvou – tu le mérites –, de vivre l'ensemble de ton existence dans une société, un régime politique et constitutionnel imprégnés de ces valeurs. Souviens-toi d'Hemingway : « Le monde est un endroit magnifique pour lequel il vaut la peine de se battre. » Confiance.

FRÉDÉRIC BÉRARD

Table des matières

Suivez-nous :

Réimprimé en août deux mille quatorze
sur les presses de l'imprimerie Gauvin,
Gatineau, Québec